MODÈLES
RECHERCHÉS

À François,

En espérant que ces histoires
vous rappelleront des souvenirs
importants et touchants, mais
aussi des histoires insoupçonnées.

Bonnes découvertes!

(et bravo pour Judith, une
fille formidable!) Olivier

Robert

Guy Saint-Jean Éditeur
3440, boul. Industriel
Laval (Québec) Canada H7L 4R9
450 663-1777
info@saint-jeanediteur.com
www.saint-jeanediteur.com

Catalogage avant publication de Bibliothèque et Archives nationales du Québec
et Bibliothèque et Archives Canada
Pilon, Robert, 1967-
Modèles recherchés : l'homosexualité et la bisexualité racontées autrement
ISBN 978-2-89455-941-3
1. Homosexualité - Québec (Province).
2. Homophobie - Québec (Province) - Prévention.
I. Titre.
HQ76.3.C32Q8 2015   306.76'609714   C2015-940591-2

Nous reconnaissons l'aide financière du gouvernement du Canada par l'entremise du
Fonds du livre du Canada (FLC) ainsi que celle de la SODEC pour nos activités d'édition.

  Patrimoine Canadian   SODEC
                                          canadien   Heritage   Québec

Gouvernement du Québec — Programme de crédit d'impôt pour l'édition de livres —
Gestion SODEC

© Guy Saint-Jean Éditeur inc., 2015
Révision : Lyne Roy et Linda Priestley
Correction : Émilie Leclerc
Conception graphique et mise en pages : Étienne Dicaire
Photos de la première de couverture : © Charles Bélisle pour les figurines ;
Photos dans les cadres : gracieuseté de Marie Houzeau, Robert Pilon et Steve François
Photos de la quatrième de couverture : © Charles Bélisle pour les figurines ;
photo dans le cadre : gracieuseté de Sophie Laforest
Photo du rabat : © Michel Filion

Dépôt légal — Bibliothèque et Archives nationales du Québec,
Bibliothèque et Archives Canada, 2015
ISBN : 978-2-89455-941-3
PDF : 978-2-89455-942-0

Imprimé au Canada
1re impression, avril 2015

 Guy Saint-Jean Éditeur est membre de
l'Association nationale des éditeurs de livres (ANEL).

À mes parents, Lise Rodrigue et Robert Pilon,
pour m'avoir appris à penser aux autres.

À mon époux, Serge Danis,
pour m'avoir appris à penser à moi.

À mon psy, Jorge,
pour m'avoir appris à concilier les deux.

MARIE HOUZEAU
DIRECTRICE GÉNÉRALE

GRIS
Montréal

Le 16 mai 1988, trois étudiants et une étudiante frappaient à la porte de l'école secondaire Sophie-Barat. À l'invitation d'un enseignant du cours de formation personnelle et sociale, ils venaient livrer un témoignage et répondre aux questions des jeunes sur leur homosexualité. Je n'ose imaginer à quel point leur cœur devait battre la chamade lorsqu'ils franchirent la porte de cette classe de secondaire 3.

Michel Mayrand, un de ces quatre courageux, s'en souvient comme si c'était hier : « En nous accueillant, le prof nous a confié que nous arrivions à point… Un de ses élèves était tombé dans une phase très dépressive – incluant une tentative de suicide – à la suite des nombreuses railleries homophobes de ses camarades de classe. La situation avait nécessité une intervention des enseignants auprès des élèves et des parents du garçon, ce qui avait provoqué un coming-out loin d'être idéal. »

Michel se rappelle bien comment s'est terminée cette première aventure : « Ce qui restera gravé à jamais dans ma mémoire, c'est le sourire radieux de l'élève en question, qui nous a remerciés, à la fin de notre intervention, d'être venus les rencontrer. À lui seul, ce sourire a pulvérisé mes doutes sur notre démarche et nous a servi de carburant pour de nombreuses autres interventions en classe. »

Ces braves de la première heure appartenaient au comité d'intervention sociale de Jeunesse Lambda, un organisme de soutien pour les jeunes LGBT. Fort de ce succès et de quelques années d'expériences inoubliables, le comité est devenu un organisme à part entière le 13 septembre 1994. C'était le début de la grande aventure du GRIS, le Groupe de recherche et d'intervention sociale de Montréal. Aujourd'hui, les intervenants et intervenantes bénévoles de l'organisme visitent deux par deux les classes des écoles du grand Montréal, depuis le troisième cycle du primaire jusqu'à l'université, pour démystifier l'homosexualité et la bisexualité.

Vingt ans donc ont passé, vingt ans déjà ! Et depuis, des centaines de bénévoles et des milliers de jeunes se sont donné la réplique par des questions et un partage de tranches de vie, d'émotions, d'anecdotes, parfois de pleurs, souvent de rires et toujours d'intimité.

Comment vous êtes-vous rendu compte de votre orientation sexuelle ? Comment vos parents ont-ils réagi ? Avez-vous perdu des amis ? Pourquoi avez-vous un défilé de la Fierté gaie ? Voulez-vous avoir des enfants ? Qui fait l'homme et qui fait la femme dans votre couple ? Ce ne sont que quelques-unes des questions qui reviennent dans la bouche des élèves. Ces jeunes ont soif de comprendre en quoi l'orientation sexuelle influence le parcours de vie des bénévoles qu'ils rencontrent. Sans présenter de théories ou de statistiques, les équipes du GRIS-Montréal fondent leurs réponses sur leur vécu. L'objectif principal de la rencontre consiste à permettre aux élèves de mettre un visage sur une réalité souvent méconnue, qui peut parfois les intimider ou les rebuter.

Les commentaires écrits par les jeunes après la visite des bénévoles du GRIS démontrent bien l'impact de nos interventions sur leur perception de la bisexualité et de l'homosexualité :

« C'est l'ignorance qui augmente les préjugés, et j'espère que maintenant les gens vont arrêter de niaiser les gais. »

FILLE DE 14 ANS

« Ça m'a permis de voir que j'aurais pu empêcher un de mes amis de se suicider parce qu'il était gai. »

GARÇON DE 17 ANS

« Cette rencontre était vraiment sympathique et nous en a appris beaucoup, nous a ouverts davantage. Il est certain que si tout le monde assistait à une telle rencontre, tout serait différent. »

FILLE DE 16 ANS

« J'ai aimé, j'ai appris et je renie mes préjugés d'avant. »

GARÇON DE 13 ANS

« J'ai adoré la rencontre, elle m'a donné envie de faire mon coming-out à ma famille très bientôt. Bravo ! »

GARÇON DE 17 ANS

Modèles recherchés vous offre un reflet de la richesse infinie créée par cette effusion sans cesse renouvelée. Vous aurez accès à des histoires de premiers frémissements et de découverte, mais aussi de dévoilement, d'expérience en milieu de travail, de vie de couple, d'amitié et d'amour, de famille ou encore de mariage. Ce diaporama met en lumière le vécu de membres du GRIS-Montréal dont j'admire la générosité au quotidien depuis plus de 10 ans comme directrice générale. À leurs côtés, des personnalités publiques, gaies, lesbiennes ou hétérosexuelles ont consenti à se confier. Issus des milieux sportif, culturel, médiatique ou politique, ils et elles ont accepté de partager sans filtre leurs histoires.

Le témoignage de personnalités publiques dans ce livre dédié au travail du GRIS-Montréal aurait été impossible il y a 20 ans. Très peu d'entre elles auraient alors accepté de participer à un tel projet. Nous croyons bien humblement que notre travail dans les écoles a contribué à la formidable évolution des mentalités que la société a connue durant les deux dernières décennies concernant l'homosexualité et la bisexualité.

Je ne peux vous laisser sans dire un mot sur l'auteur de ce livre. Membre du GRIS-Montréal depuis 1999, Robert Pilon en a assuré la présidence pendant neuf ans. Au cours de ces années, j'ai eu le privilège de découvrir un homme merveilleux, dont la générosité n'avait d'égale que le charme et l'intelligence. Un leader incroyable et, surtout, un ami. Quand il a quitté la présidence du GRIS en 2012, tout le monde se disait qu'il avait tant donné qu'il méritait bien de se reposer un peu. À peine un an plus tard, il m'annonçait que, pour souligner les 20 ans de l'organisme, il voulait se lancer dans ce projet titanesque : mener plus de 50 entrevues et les passer au peigne fin afin d'en choisir les extraits les plus touchants et les plus éclairants. Merci infiniment, Robert, d'avoir une fois de plus mis ton talent au service du GRIS-Montréal. Ce livre représente un formidable message d'espoir.

VINCENT BOLDUC
PORTE-PAROLE DU GRIS

Il y a 20 ans, quand le GRIS a vu le jour, j'étais sur les bancs d'école. Je dis sur les bancs d'école, mais c'est à moitié vrai puisque je passais une grande partie de mon temps à travailler sur les plateaux de tournage, où j'avais droit à mon «GRIS personnalisé». Avec la plus grande candeur, des réalisatrices, coiffeurs, maquilleuses et acteurs me nourrissaient de leurs histoires d'amour, indépendamment du sexe de leur partenaire. Comme tout bon adolescent, je faisais mine de m'en foutre, mais je gardais les oreilles grandes ouvertes et, grâce à eux, j'apprenais sur la vie adulte. J'avais cette chance d'être entouré d'adultes aux orientations sexuelles variées. Mon éducation sexuelle était donc plus riche et diversifiée que celle de mes camarades de classe qui n'avaient droit qu'au succinct, mais essentiel, cours de formation personnelle et sociale.

Cette différence, je la voyais bien lorsque je discutais du sujet avec mes amis à l'école secondaire. Ma nature de provocateur me poussait à évoquer les détails les plus croustillants des histoires que j'entendais pour voir la surprise dans les yeux de certains. À l'époque, une visite du GRIS dans mon établissement scolaire aurait ouvert les horizons de plusieurs. J'aurais tellement aimé inviter tous mes amis et amies gais et lesbiennes dans mon école pendant une heure !

La plus belle chose que nous pouvons donner en cette période folle où l'on court partout, c'est du temps ! Un moment d'arrêt pour partager son intimité avec les autres. Leur dire qui nous sommes. Tous ceux et celles qui ont participé à l'élaboration de ce livre ont fait preuve d'un grand courage et d'une immense générosité. Leur geste contribuera à une discussion collective et à un échange primordial en pénétrant tendrement dans le cœur des jeunes.

En se racontant au fil des pages de ce livre, ces gens créent des rencontres qui transformeront à jamais les jeunes et les moins jeunes, toutes orientations sexuelles confondues.

Des milliers de fois « merci » !

MACHA LIMONCHIK
PORTE-PAROLE DU GRIS

Je suis née à Montréal, dans le quartier Côte-des-Neiges, où des gens de plus de 160 origines ethniques se côtoient. Mes amis venaient de France, de Hongrie ou d'Haïti. J'ai donc eu la chance de grandir dans un milieu où la diversité était normale, bienvenue et même célébrée. Pourtant, dans ce beau *melting pot*, je n'ai jamais entendu parler d'homosexualité. L'orientation sexuelle n'était pas un sujet de discussion : les garçons aimaient les filles et les filles, les garçons. Tout simplement.

Traiter quelqu'un de « tapette » dans la cour d'école était chose courante, sans qu'on sache trop ce que cela signifiait. À la télévision, le personnage de Christian Lalancette, dans la comédie *Chez Denise*, avait la cote. Personnellement, il me ravissait ! Il était si original, si exubérant et si drôle ! Évidemment, du haut de mes 10 ou 12 ans, je ne soupçonnais même pas qu'il puisse être homosexuel. Dix ans plus tard, je découvrais la diversité des orientations sexuelles à l'École nationale de théâtre. Encore une fois, dans un milieu résolument ouvert à la différence.

Comme tout le monde, ce sont mon parcours, mon éducation et mes rencontres qui m'ont façonnée, qui ont fait de moi quelqu'un qui n'a pas peur de l'autre. Mais je sais qu'aujourd'hui encore, bien des jeunes n'ont pas la chance d'évoluer dans des milieux aussi ouverts et détendus face à la différence. C'est pour cette raison, et avec joie et enthousiasme, que j'ai accepté d'être porte-parole du GRIS-Montréal.

Au fil des ans, il m'est apparu évident que le témoignage est à la base de la connaissance humaine, qu'il s'agit d'une courroie de transmission sociale primordiale. Il permet à chacun de comprendre et de ressentir ce qu'un autre être humain a vu ou vécu. Il ouvre les œillères comme les cœurs, agissant ainsi comme un formidable agent de changement.

De tout mon cœur, je remercie les bénévoles du GRIS qui offrent un bout de leur vie à des milliers d'étudiants. Leur générosité m'inspire. Et j'applaudis tous ceux et celles qui ont accepté de participer à ce livre, vos témoignages sont précieux.

Mot de l'auteur
ROBERT PILON

Depuis toujours, l'homosexualité est un sujet tabou. Bien sûr, on en parle beaucoup plus aujourd'hui qu'il y a 50 ans, mais le sujet demeure délicat pour la majorité des gens. On en parle en privé, en chuchotant, et pas avec n'importe qui. Et bien souvent, on en parle avec un certain malaise, en blague, ou carrément en mal. Alors imaginez la bisexualité ! Aujourd'hui, on en parle un peu, mais les préjugés et le silence qui l'entourent sont aussi lourds que ceux qui accompagnaient l'homosexualité à l'époque.

En écrivant ce livre, mon but était de renverser la vapeur. Je voulais commencer à parler d'homosexualité et de bisexualité *autrement*. Par autrement, j'entends positivement, légèrement, ouvertement. Je voulais en parler en riant aussi, mais pour les bonnes raisons. Et en pleurant parfois, toujours pour les bonnes raisons. Non pas parce qu'une personne est gaie, lesbienne ou bisexuelle, mais pour tout ce qu'elle a dû traverser pour devenir un adulte heureux.

J'ai écrit *commencer*, mais j'aurais dû écrire *continuer* de parler d'homosexualité et de bisexualité autrement. En effet, depuis 20 ans, des centaines de bénévoles du GRIS-Montréal parlent ouvertement de leur réalité. C'est donc en hommage à leur audace, à leur courage et à leur mouvement, selon moi, révolutionnaire que ce livre a été écrit. Ils sont aux premières lignes d'une autre révolution tranquille : celle des minorités sexuelles.

Comme je côtoie ces bénévoles depuis 1999, je connais leurs histoires. Je sais à quel point elles sont riches, touchantes et éclairantes. Durant leurs témoignages en classe, j'ai vu les visages et les cœurs des élèves s'ouvrir. J'ai vu les élèves changer. C'est l'une des plus belles choses que j'ai vécues de ma vie.

J'avais cependant une petite déception : les témoignages ne demeuraient que des paroles *entendues*. Si les jeunes voulaient en parler à leurs amis, à leurs parents, ou même à leurs enfants un jour, ils n'auraient que leur mémoire pour leur rappeler ce qu'ils avaient ressenti en nous rencontrant et en nous découvrant.

L'idée d'un livre est donc née. Il rassemblerait des extraits de témoignages comme ceux que livrent chaque jour les bénévoles du GRIS-Montréal et de tous les GRIS dans les classes du Québec. Je m'étais fixé comme objectif de présenter 50 personnes, hommes et femmes à parts égales, et la plus grande variété possible : orientation sexuelle, âge, origine ethnique, avec ou sans enfant, en couple ou non, stéréotypé ou non. J'allais interviewer des bénévoles du GRIS en leur posant les mêmes questions qu'ils se font poser en classe : *Comment l'avez-vous su ? Comment l'avez-vous dit ? Comment votre entourage a-t-il réagi ? Pourquoi le Village gai, le défilé gai, les Jeux gais ?*

Puis, un jour, un débat peu fréquent a rebondi dans l'actualité : est-ce que les personnalités gaies, lesbiennes ou bisexuelles devraient parler ouvertement de leur orientation sexuelle ? Est-ce qu'elles ont *le droit* de rester silencieuses sur ce sujet ? Ou est-ce qu'elles ont *le devoir* d'en parler ? Excellentes questions, mais malheureusement, les personnes qui réclament le droit à leur vie privée ne voulaient pas en parler publiquement, évidemment ! Le débat n'a pas eu lieu.

Toutefois, un certain Dany Turcotte, qui avait déjà fait son coming-out public, a accepté de discuter du sujet à la radio de Radio-Canada. Comme j'y travaille, je suis allé jaser avec lui quelques minutes avant son entrevue. Il m'avait alors lancé, en boutade : « On devrait organiser un grand coming-out collectif ! Comme ça, ce serait tout réglé d'un coup. » Durant son entrevue, il a répété la même phrase, en ajoutant qu'il organiserait ça « avec Robert Pilon, le président du GRIS-Montréal ». Cette idée, qui me semblait aussi surprenante qu'irréaliste, m'avait séduit.

Lorsque mon projet de livre s'est concrétisé, sa boutade m'est revenue en tête : et si mon livre permettait également à des personnalités connues et aimées du grand public de parler de leur orientation sexuelle, non pas à la manière d'un magazine, mais plutôt à la manière du GRIS ? Peut-être certaines en profiteraient-elles pour faire leur coming-out ? Peut-être que d'autres, qui ont déjà parlé ouvertement de leur orientation sexuelle, pourraient se raconter différemment ?

J'ai donc commencé ma longue croisade pour trouver des personnalités québécoises qui sont lesbiennes, gaies ou bisexuelles. Par la suite, j'ai demandé bien candidement à ces personnes si, le temps d'un livre, elles avaient envie de participer à la mission du GRIS et de faire partie de ce grand mouvement de changement des mentalités.

Plus d'une vingtaine de gens connus ont répondu positivement et avec enthousiasme à mon appel, dont quelques hétérosexuelles qui ont un proche gai ou lesbienne. Même s'ils n'étaient pas habitués aux questions posées habituellement aux bénévoles du GRIS, ils se sont prêtés au jeu. À la lecture de leurs histoires, vous constaterez qu'ils ont vécu des émotions et des événements dont vous n'avez jamais entendu parler auparavant.

Pour votre ouverture, votre générosité et surtout votre confiance, je tiens donc à vous remercier, vous tous, personnalités et bénévoles, qui avez accepté mon invitation. Certains d'entre vous m'ont révélé des secrets qui le resteront à jamais. D'autres m'ont raconté des histoires tellement intéressantes que je pourrais un jour écrire un deuxième livre ou pondre un téléroman !

Vous m'avez touché, vous m'avez souvent fait rire ou ému aux larmes, vous m'avez surpris par votre force de caractère. En fait, ce qui m'a impressionné le plus, c'est votre authenticité. Vous êtes vrais. Vos paroles vont droit au cœur. Elles sont la clé de notre épanouissement. L'homosexualité et la bisexualité doivent absolument être *dites* pour exister. Si personne n'en parle, elles sont *invisibles*.

En vous exprimant aussi ouvertement, vous permettez à tous les gais, lesbiennes et bisexuels d'exister. Et d'être heureux.

Vous êtes les modèles que la majorité d'entre vous m'a raconté avoir recherchés, en vain, durant votre jeunesse. Vous êtes les superhéros d'aujourd'hui, ceux qui « sauvent le monde » des préjugés, du secret, de la honte. Vous êtes des modèles de grande qualité, des *modèles recherchés*, comme il y en aura de plus en plus.

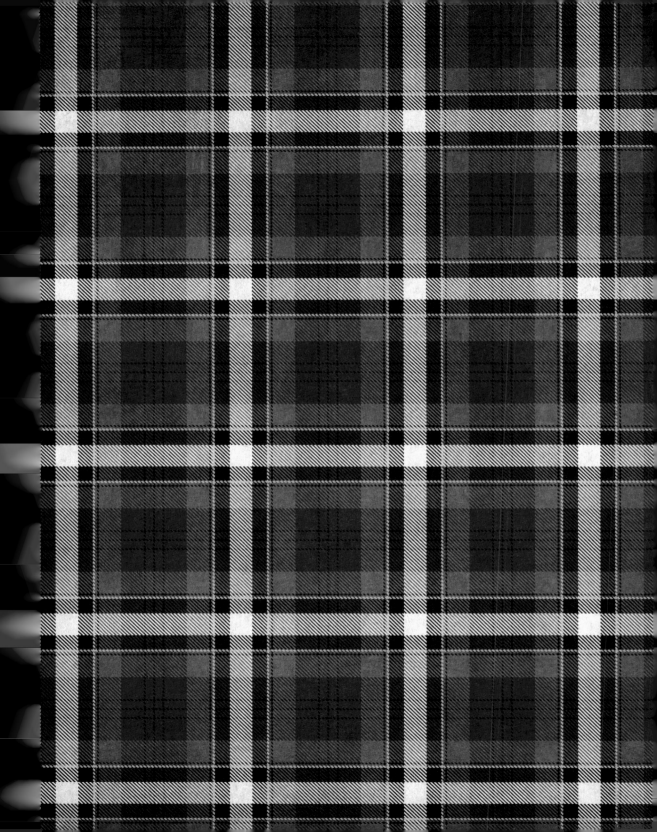

La majorité des amis de ma mère sont gais. Ça a toujours été très commun pour moi. En plus, je les trouvais tellement *cool* que j'ai rapidement associé le fait d'être gai au fait d'être *cool*. Je me disais : « Si j'étais un gars, je serais gai parce qu'ils sont tellement *nice*, ils ont l'air bien. »

Évidemment, je trouvais mon père bien moins *cool* qu'eux. Nos parents le sont toujours moins que les autres adultes. Par contre, quand j'ai compris que j'avais une attirance pour les filles, je me suis dit :

« Comment ça se fait qu'il n'y a pas de lesbiennes nulle part ? Comment ça se fait qu'on n'en parle pas ? »

À ce moment-là, j'aurais trouvé ça moins *weird* d'être gai que lesbienne. C'est peut-être pour cette raison que ça m'a pris du temps avant que je devienne consciente de mon attirance pour les filles.

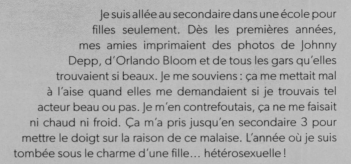

Je suis allée au secondaire dans une école pour filles seulement. Dès les premières années, mes amies imprimaient des photos de Johnny Depp, d'Orlando Bloom et de tous les gars qu'elles trouvaient si beaux. Je me souviens : ça me mettait mal à l'aise quand elles me demandaient si je trouvais tel acteur beau ou pas. Je m'en contrefoutais, ça ne me faisait ni chaud ni froid. Ça m'a pris jusqu'en secondaire 3 pour mettre le doigt sur la raison de ce malaise. L'année où je suis tombée sous le charme d'une fille… hétérosexuelle !

Comment j'ai su que j'étais amoureuse d'elle ? Par plein de petites choses. Par exemple, je me suis mise, comme elle, à écouter le hockey et à retenir le nom des joueurs, même si je déteste le sport – et particulièrement le hockey ! Je voulais qu'on ait des choses à se dire. J'arrivais aussi plus tôt à l'école. J'essayais d'avoir de meilleures notes pour être en équipe avec elle ; c'était vraiment une bolée. J'ai même encouragé toutes ses amies à lui écrire une lettre pour qu'elle ne s'ennuie pas durant les vacances d'été… Bref, un très gros *kick*, vraiment intense, qui a duré un an et demi. C'était la première fois que je tombais amoureuse de quelqu'un.

Au début, je ne me rendais pas compte de ce que ça voulait dire, mais j'ai tout de même fini par me poser quelques questions : « Comment ça se fait que je m'entends si bien avec elle, que ça me donne des papillons dans le ventre quand je la vois ? » Puis, un jour, je jasais avec elle, on riait, et j'ai fait un commentaire où j'ai *plogué* le mot « lesbienne ». Quelque chose comme : « Attention, si tu continues à me faire rire comme ça, je vais virer lesbienne ! » Un commentaire maladroit qui se voulait une blague, bien sûr !

Tout de suite après, j'ai paniqué : « Ah non ! Qu'est-ce que je viens de dire là ?! » C'est comme si j'étais en train de me le dire à moi-même, comme si un processus irréversible s'était enclenché. Il était trop tard, le mot avait été dit et toutes les questions se bousculaient dans ma tête. Mon cerveau était probablement tanné que je vive dans le déni !

Cela dit, découvrir que j'étais lesbienne a été un événement important et très joyeux pour moi : ça m'a vraiment permis d'être mieux dans ma peau. Après ma fameuse blague, ça m'a pris environ

un mois avant de l'annoncer à mes amies. Et,
un an plus tard, quand toute l'école a fini par le
savoir, à ma grande surprise je suis devenue *cool*!
J'étais la seule de mon niveau à avoir fait mon coming-
out et ça a suscité un certain respect. Plus personne
n'avait intérêt à me niaiser : d'abord, je m'en foutais, et
j'avais maintenant des amies pour me défendre.

Mon coming-out m'a aussi permis d'assister à un petit
changement assez sympathique à l'école. J'étais proche de
ma professeure d'art dramatique. Après la disparition des cours
d'éducation sexuelle, elle avait décidé d'aborder le sujet pendant
une heure dans son cours, en secondaire 4 et en secondaire 5.
Elle ne voulait pas faire officiellement un cours sur la sexualité, mais
plutôt qu'on en parle, tout simplement.

Par exemple, elle nous avait fait faire un exercice en rond avec les
mains dans le dos. On devait ouvrir une main pour répondre « oui » à
la question posée ou la garder fermée pour répondre « non ». Son but
était d'avoir des réponses honnêtes et à l'abri du regard des autres :
« Est-ce que vous avez déjà embrassé un gars ? » Elle comptait les mains
et nous disait : « Dans la classe de 30, il y a juste 10 filles qui ont déjà
embrassé un gars. Donc, vous voyez, vous n'êtes pas toute seule. »
Autre question : « Est-ce que vous avez déjà eu une relation sexuelle
complète ? » Après l'exercice, je lui avais demandé : « Qu'est-ce que
ça veut dire, une *relation sexuelle complète* ? Si moi, je considère que
j'ai déjà fait l'amour avec une fille, qu'est-ce que je réponds ? »

L'année suivante, sa question n'était plus la même : « Est-ce que vous
avez déjà eu une relation sexuelle que *vous* considérez comme
complète et qui, pour vous, a signifié *faire l'amour* ? » J'ai été à la fois
surprise et touchée qu'elle ait pris la peine d'ajuster sa question.

ALICE DORVAL, 20 ANS, LESBIENNE

L'histoire de mon coming-out à mes parents, c'est comme un sketch comique. À 18 ou 19 ans, j'étais guichetier dans un théâtre d'été de Granby. Mon chum était comédien et il venait y voir jouer ses amis. Le deuxième été où on s'est vus, on a commencé à se fréquenter plus officiellement. J'étais revenu habiter chez mes parents pour l'été. C'était les vacances de la construction, et mes parents étaient partis faire leur voyage annuel de trois jours à Baie-Saint-Paul. En leur absence, j'avais invité mon nouveau chum à la maison. On avait passé une soirée à vider les bouteilles de vin rouge de mon père. Le lendemain matin, on était en bobettes sur la galerie arrière de la maison, dans le bois — mes parents vivent vraiment dans le bois. On buvait notre café, au soleil, les pieds pendants au bout de la galerie. On était super bien, on parlait… Et là, la voiture de mes parents est arrivée droit devant nous !

Qu'est-ce qu'on fait ?! Impossible de filer, impossible de se cacher. Je ne pouvais pas dire que c'était un « nouvel ami ». **On était en bobettes blanches sur le balcon !**

Après nous avoir vus, mes parents ont roulé vers le côté de la maison pour stationner la voiture. Mon père est reparti sans entrer dans la maison. Ma mère est montée défaire ses valises. Toujours assis sur le balcon, on se disait : « Qu'est-ce qu'on fait ? Est-ce qu'on attend que ma mère redescende ? » J'étais mal pour mon chum, lui était mal pour moi, et ma mère devait être mal tout court. J'ai fini par dire : « Regarde, je suis rendu là, c'est tant mieux ! » Et on s'est mis à rire tellement que ça n'avait pas de bon sens !

Finalement, on est rentrés dans la maison, toujours en bobettes, et on est arrivés face à ma mère qui défaisait sa valise. C'est là que j'ai fait les présentations officielles : « Maman, voici Martin. Martin, voici Maman. » Mon chum lui a serré la main, en bobettes, avec un sourire crispé… Et moi, je voulais fondre ! Mais enfin, mon coming-out était fait.

JEAN-PHILIPPE DION, 31 ANS, GAI

TON SEXE ET L'AUTRE

SM-101   FACE 2

5 - POINT DE VUE DES PARENTS
6 - MASTURBATION
7 - HOMOSEXUALITÉ
8 - DES HORIZONS NOUVEAUX

Narrateur : Henri Bergeron
(M-7048)

Ma mère avait acheté un disque qui expliquait la sexualité aux enfants.

D'UN CÔTÉ DU DISQUE, C'ÉTAIT SUR LA FEMME, DE L'AUTRE SUR L'HOMME. IL Y AVAIT AUSSI DES THÈMES COMMUNS AUX DEUX SEXES, DONT L'HOMOSEXUALITÉ.

Je me souviens que ça parlait de la sexualité de façon très positive. Ça expliquait le pour-quoi des jeux sexuels, que c'était correct d'en avoir. Ça parlait même de masturbation ! Par contre, même si on osait y parler d'homosexualité, il me semble que c'était beaucoup moins positif. Durant mon enfance, j'ai écouté ce disque-là plusieurs fois sur plusieurs mois, voire plusieurs années. Ça m'intriguait, ça venait me chercher.

Même si je trouvais que ma mère était *cool* d'avoir acheté ce disque-là, je me souviens aussi de l'avoir entendue dire que « deux hommes qui s'embrassent, c'est dégueulasse », en réaction à une émission de télévision qui parlait du sujet. Ça m'avait marqué. Être gai, c'était dégoûtant : la personne la plus importante dans ma vie venait de le dire. Mon père aussi avait toute une sélection de blagues très plates sur les gais. D'un côté comme de l'autre, peu importe où je regardais, l'homosexualité était quelque chose de négatif et j'avais peur de ça.

Malgré tout ça, j'ai tripé pendant toute mon enfance sur plein d'acteurs. Je regardais tout ce qu'il y avait à la télévision québécoise, les émissions américaines doublées comme celles d'ici. Si elles mettaient en vedette des beaux hommes, il y avait de l'intérêt de ma part. Patrick Duffy dans *Dallas*. Le petit blond frisé dans *Le Lagon bleu*. Steve Austin, « l'homme de six millions ». Michael J. Fox dans *Back to the Future*. Même le beau Anthony dans le dessin animé *Candy* ! Il y avait aussi Albert, le fils de la famille Ingalls dans *La Petite Maison dans la prairie*… Lui, je le trouvais vraiment mignon ! Ces gars-là m'ont fait rêver, en secret, durant toute ma jeunesse.

En constatant ça aujourd'hui, je peux dire sans me tromper que je suis gai depuis aussi loin que je me souvienne. Mais est-ce que je savais à ce moment-là que j'étais gai ? Je pense que je ne voulais pas le savoir. Je n'avais aucune idée de la façon de gérer ça. J'ai vécu cette dualité-là, ce déni-là, jusqu'à mon coming-out à l'âge de 21 ans. Je ne voulais tellement pas le savoir que c'était enterré dans une zone de ma personnalité barrée à clé.

J'ai toujours été curieux de comprendre pourquoi moi, qui étais tellement attiré par les gars, j'ai mis autant de temps à l'accepter. La réponse est sûrement dans plein de petites choses, notamment dans les propos de mes parents. Mais récemment, j'ai retrouvé le fameux disque de mon enfance. Et voici, en résumé, ce qui a dû s'imprimer dans mon cerveau d'enfant sur la sexualité en général et sur l'homosexualité en particulier :

« Il y a en nous, à propos de la sexualité, un immense désir de savoir. Ce désir est sain et bon. Il faut le satisfaire.

« Rester ignorant dans ce domaine, ce n'est ni bien intelligent, ni bien avisé. La vie adulte se prépare dès maintenant et tu es assez vieux, assez vieille, pour soupçonner que la sexualité va jouer un rôle important dans ta vie.

« L'essentiel à ne pas perdre de vue à propos des jeux sexuels, c'est le but positif. Faire reculer l'inconnu. Se donner une image concrète du corps de l'autre et souvent de son propre corps. Réaliser que ce corps est sexué. Et que le sexe, même caché habituellement, est beau et bon. Vus de cette façon, les jeux sexuels te préparent à ta vie sexuelle plus tard et à aimer, finalement.

« Je te donne maintenant le point de vue de tes parents. Au fond, ils sont sévères parce qu'ils voient des dangers à tes expériences. Oui, des dangers. Il arrive souvent que les jeux sexuels se passent entre enfants du même sexe. [...] Mais avoir une expérience sexuelle entre gens du même sexe, n'est-ce pas ce qu'on appelle l'homosexualité ?

«Quand deux personnes du même sexe vivent ensemble comme s'ils étaient mariés et se donnent le plaisir complet l'un à l'autre, on dit qu'ils sont homosexuels. Il peut y avoir des couples homosexuels. Des couples homosexuels d'hommes et de femmes. Ces dernières sont habituellement appelées lesbiennes.

«Quand deux filles de 12 ou 13 ans se déshabillent ensemble ou même se touchent et y trouvent du plaisir, cela ne veut pas dire qu'elles sont lesbiennes. Elles satisfont leur curiosité. Le seul fait qu'elles aimeraient voir aussi les garçons montre bien qu'elles ne sont pas de petites lesbiennes. Même chose pour les garçons. Ce qui pourrait conduire à l'homosexualité, c'est le fait qu'aucun intérêt ou curiosité pour l'autre sexe ne se développe, soit chez le garçon, soit chez la fille.

«Tu comprendras que les parents, pensant à l'homosexualité, à propos des jeux sexuels s'inquiètent et aient tendance à être sévères. Mais le meilleur moyen de passer à travers l'expérience sans prendre une tangente homosexuelle, c'est encore de favoriser les rencontres entre garçons et filles dans un climat chaleureux.»

Mon grand bonheur en réécoutant ce disque a été de constater que j'en ai gardé les meilleurs bouts : le sexe est beau et bon, et mes jeux sexuels m'ont préparé à aimer. Si jamais je dois mon coming-out tardif à ce disque, je lui dois peut-être aussi la joie d'être en couple depuis 10 ans avec un homme que j'aime. Merci Maman pour ton beau cadeau !

MARTIN GIRARD, 44 ANS, GAI

« ON EST PAS MAL ROMANTIQUES TOUTES LES DEUX. »

J'ai connu ma blonde, Marie-Christine, sur Réseau Contact. Comme j'avais rencontré une autre fille au même moment, je lui avais dit : « On laisse tomber, j'ai rencontré quelqu'un, bonne vie ! » Ça, c'était en avril 2010.

En septembre 2011, alors que je sortais avec la même fille, j'étais dans une soirée avec mes amies. Je m'accote au bar, je me retourne, Marie-Christine est à côté de moi. On ne s'était jamais vues en personne, on avait seulement échangé des photos. On a parlé un peu, sa présence m'a vraiment charmée.

Après, durant tout le week-end, je n'arrêtais pas de penser à elle.
J'ai réactivé mon compte sur Réseau Contact, j'ai retrouvé son adresse et je lui ai écrit un mot. On a correspondu pendant deux mois, ma relation avec ma blonde s'est terminée, et j'ai invité Marie-Christine à aller voir un show du groupe *Of Monsters and Men*. On est devenues officiellement un couple en décembre 2011.

En novembre 2012, on est allées au resto un soir. En prenant un verre, Marie-Christine m'a donné une enveloppe sur laquelle elle avait écrit *I'll see you when I fall asleep*, qui est une phrase de *Little talks*, la toune fétiche de notre première rencontre. J'ai ouvert l'enveloppe, il y avait des billets du show dedans. On allait revoir un show de ce groupe-là le soir même, mais ce que je ne savais pas, c'est qu'elle avait communiqué avec

le gérant du groupe et avait essayé de nous organiser une rencontre privée avec eux pour me faire une demande en mariage, pendant qu'ils nous auraient joué la fameuse toune. Le matin du show, la fille de MusiquePlus l'a informée que ça tombait à l'eau. Moi, je ne savais rien de tout ça, je l'ai su après.

On est allées voir le spectacle, puis on a marché dans le parc Jarry, un parc un peu symbolique pour nous parce que c'est là, un an plus tôt, qu'on avait compris que notre relation allait quelque part. Elle m'a ramenée dans ce parc-là, il devait être minuit, au mois de novembre, il faisait froid, le ciel était plein d'étoiles.

On est retournées dans les mêmes gradins, elle s'est mise à genoux et m'a demandée en mariage. Je suis partie à pleurer, elle aussi, on avait froid et on s'embrassait. Ce qu'elle ne savait pas, c'est que moi aussi je lui avais acheté une bague parce que je commençais à planifier quelque chose de mon côté.

On est revenues chez nous et j'ai improvisé. J'ai mis la bague dans ma poche et un foulard sur ses yeux : « On va jouer à quelque chose. » Je l'ai amenée dans le salon, je l'ai assise sur le divan et je me suis mise à genoux à mon tour : « OK, enlève ton bandeau. » Elle s'est remise à pleurer en voyant la bague. Elle ne s'attendait pas du tout à ça. C'est ça l'histoire de notre demande en mariage. On est pas mal romantiques toutes les deux !

CATHERINE DUCLOS, 27 ANS, LESBIENNE

La première fois que je suis allé dans un bar gai, c'était au Ballon rouge, à Québec, sur la rue Saint-Jean. Ça m'a pris à peu près six fins de semaine de suite avant que je me décide : je me rendais là, mais je n'entrais pas.

Un grand mur donnait sur le bar. Je m'accotais là et je me disais : « Je rentre. Non, je rentre pas. OK, là j'y vais ! » Je voyais deux gars en sortir, et je m'arrêtais. Après une demi-heure, j'avais l'air louche. Ce n'était pas loin du Dagobert où mes amis hétéros se retrouvaient. Je finissais par aller les rejoindre.

Puis, un soir, je me suis décidé...

Je ne connaissais personne, mais mon oncle, qui est gai, m'avait tout expliqué. Il m'avait offert de m'accompagner. J'avais dit : « Non, faut que je le fasse tout seul. » Il insistait : « Nous autres, on y va. Tu n'es pas obligé de rester toute la soirée... » Non, dans ma tête de cochon, la première fois, il fallait que ça se passe tout seul.

Je suis entré, j'ai fait six pas et je me suis accoté au bar. Je pense que pendant 20 minutes, je suis resté là juste à regarder autour. J'ai commandé une bière, mais je devais avoir l'air d'un attardé mental tellement j'étais figé.

Je pensais : « OK, tous ces gars-là sont *possibles*. Bien sûr, j'avais déjà vu mon oncle avec son chum, mais c'étaient des cas isolés. Là, tu entres dans un endroit, il y a plein d'inconnus qui sont tous une *possibilité*. Et tu vois deux gars qui se *frenchent, my God* ! Je sortais au Dagobert et je voyais des gars et des filles s'embrasser, mais je n'aurais jamais pu voir deux gars s'embrasser là-bas. Ici, au Ballon rouge, ça se pouvait. Non seulement ça se pouvait, mais le monde autour s'en câlissait.

C'ÉTAIT **FA-BU-LEUX!**

En plus, ce n'est pas comme à Montréal : il n'y a pas un bar pour chaque genre de gars. À Québec, tout le monde se mélange au même endroit. Il y avait des barbus avec des bedaines et du poil, à côté d'un autre qui portait des pantalons trop serrés. Tout ça, c'était comme un trop-plein d'information. Mais c'était aussi comme rentrer au paradis. Pas loin.

La différence entre un bar gai et un bar hétéro, c'est que, quand tu vois un beau gars dans un bar hétéro, tu n'iras pas l'aborder, tu ne prendras pas cette chance-là. Mais au Ballon rouge, toutes les barrières tombaient. C'était fantastique ! Si quelqu'un t'abordait, il y avait une chance qu'il puisse se passer quelque chose, parce que t'étais à la bonne place. Il n'y avait pas de malentendu, pas de malaise, tu ne finissais pas avec un poing sur la gueule.

DEPUIS 1990

BIENVENUE!

« On te paie une bière
et tu fais partie
de la gang. »

Je voyais des gars qui dansaient ensemble, qui avaient du fun, qui s'embrassaient. La première fois, j'avais trouvé ça extraordinaire. Les tounes auraient pu être à moitié plates, pour moi, ce soir-là, elles étaient toutes excellentes !

Dans ce temps-là, j'étais à ma première année de cégep, mais au secondaire, on avait eu un remplaçant à l'animation des loisirs. Un jeune. Et il était là, devant moi, au Ballon rouge ! « Heille ! Lui aussi ! » que je me disais. Il m'avait payé une bière. C'était la première bière que je me faisais offrir de toute ma vie ! J'avais vu des filles se faire payer une bière, mais là ça m'arrivait à moi.

Fierté, toi chose ! Un gars qui m'envoie une bière !

Je n'avais aucune attirance envers lui, mais c'était comme une espèce d'approbation, de laissez-passer. On te paie une bière et tu fais partie de la gang.

Je me revois hésiter à rentrer dans le bar... Je pense que j'avais peur de ce que j'allais découvrir. Je n'avais pas peur de me faire sauter dessus. C'était plus : « Est-ce que je vais être à l'aise ? Est-ce que c'est mon monde ? » Pour moi, c'était vraiment un premier pas tout seul dans le monde gai. Avant, oui, j'en côtoyais, mais je restais sur le côté, je ne faisais pas partie de ça. Il y avait une certaine protection. Mais là, je mettais vraiment un pied de l'autre bord. Dans « l'antre du démon » ! Pour moi, ça a vraiment été une étape importante.

ALEX PERRON, 44 ANS, GAI

« MOI, MON PÈRE EST GAI, MA MÈRE EST LESBIENNE, ESSAYE D'ACCOTER ÇA ! »

À 24 ANS, JE SUIS DEVENUE MÈRE ET MA VIE, C'ÉTAIT ÇA. TOUTE MON ATTENTION ÉTAIT CENTRÉE SUR MES DEUX ENFANTS.

Quand ils ont commencé à aller à l'école, je suis retournée sur le marché du travail et j'ai découvert que je n'étais pas juste une mère.

C'est là que s'est amorcée la séparation entre moi et Alain, l'homme avec qui j'étais depuis 15 ans. C'est aussi à ce moment-là qu'il m'a confié que toute sa vie, il aurait voulu aller rencontrer des hommes sans jamais oser le faire.

Je sentais déjà qu'on n'était pas un couple comme les autres et qu'on était plus des amis qu'autre chose. Mais après ces confidences-là, j'étais euphorique. « Yes ! Ben là, vas-y ! » que je lui ai dit. J'étais super emballée alors que lui n'était pas encore prêt à faire son coming-out. Pour moi, c'était évident et je l'appuyais totalement.

Quand on me demandait si je ne me sentais pas un peu trahie, je répondais : « Pas du tout. Ça me fait de la peine pour lui… » C'était clair, il y avait quelque chose qui me rejoignait, qui m'apaisait là-dedans et qui m'envoyait le signal que moi aussi, j'y avais droit, au fond.

Pendant ce temps-là, une voisine, Kathleen, que je connaissais bien parce que nos enfants étaient amis, avait elle aussi fait son coming-out. Sa relation avec son chum s'était brisée. C'était la guerre chez eux, donc elle venait se réfugier chez nous. On s'est mises à sortir, on avait ben du fun ensemble.

Un jour, elle m'a invitée à l'accompagner au *Women's Voices Festival* en Ontario, un truc de lesbiennes. «Non, je vais pas là, je suis pas lesbienne.» J'avais assez peur! Peur de découvrir que j'étais lesbienne. Ça ne me tentait pas, c'était quelque chose que je rejetais, mais aussi quelque chose de super fort que je ressentais.

Tout a basculé quand Kathleen m'a invitée à son chalet avec mes enfants et ma meilleure amie. Un soir, quand tout le monde était couché, on jasait et elle m'a demandé: «As-tu déjà embrassé une fille?» Je pensais perdre connaissance. J'étais incapable de lui répondre, au point où je suis partie me coucher dans ma tente. Ma meilleure amie, avec qui je partageais la tente, dormait déjà. Je l'ai réveillée: «Josée, Kathleen me fait des avances. J'aime ça mais j'ai peur! Je pense que je suis lesbienne.» Elle m'a répondu: «Comment ça, tu *penses* que t'es lesbienne? Michèle, allume! Depuis le temps que j'attends que tu me le dises.» C'est de cette façon-là que ça a commencé entre Kathleen et moi. On est ensemble depuis 12 ans. Je ne sais pas pourquoi ça a été si difficile pour moi. Je n'avais pas le goût d'être lesbienne. Peut-être que c'est le mot qui me dérangeait. Quand ma mère disait ça, «lesbienne», ça avait l'air vraiment dégueulasse.

Dans les deux premières semaines de ma relation avec Kathleen, j'ai fait mon coming-out à toute ma famille, dont mes deux filles. Un soir, on soupait ensemble avec Alain et je leur ai dit, sec de même: «Je suis amoureuse de Kathleen.» Esther avait 11 ans: «Ah ben, c'est l'fun parce que Kathleen est fine.» Je n'en revenais pas. Je me disais qu'il y avait un bout qu'elle n'avait pas compris, quelque chose qui n'avait pas cliqué.

Laurence, qui avait neuf ans, a réagi différemment: «D'abord, ça a été Papa et là, c'est toi. Ça se peut pas!» Elle avait un peu raison. «C'est vrai que c'est particulier, mais oui, ça se peut. Nous, c'est ça qu'on vit en ce moment et

« DEPUIS QUE MON PÈRE A DIT QU'IL EST GAI, IL EST TELLEMENT PLUS DE BONNE HUMEUR ! »

l'important, c'est qu'on s'en parle. Si vous avez des questions, vous nous les posez. On est là pour vous répondre.» On a eu une bonne discussion, jusqu'à ce qu'Esther demande : «Si Papa est gai et que toi, tu es lesbienne, est-ce que ça veut dire qu'on va être lesbiennes aussi ?»

Les choses se sont placées rapidement. Au moment de mon coming-out, l'homosexualité faisait déjà partie de leur vie. Elles savaient depuis plus d'un an que leur père était gai et ça se passait très bien. On avait continué à vivre ensemble, elles avaient leurs deux parents avec elles, tout le monde était content. Alain ne touchait plus à terre. Laurence disait : «Moi, depuis que mon père a dit qu'il est gai, il est tellement plus de bonne humeur.» C'était flagrant! Je pense même qu'elles trouvaient ça le fun. Il se passait quelque chose dans leur vie et elles disaient ça à leurs amis : «Moi, mon père est gai.» Ça suscitait la curiosité, les questions. Tout à coup, ça leur donnait de l'importance.

Quand je l'ai annoncé à mon tour, elles ont un peu récupéré la situation à leur avantage. Elles, elles connaissaient ça l'homosexualité. «Moi, mon père est gai, ma mère est lesbienne, essaye d'accoter ça!» En fin de compte, c'est devenu quelque chose de très positif dans leur vie.

MICHÈLE BROUSSEAU, 49 ANS, LESBIENNE

CHANTAL

Mon fils m'a annoncé qu'il était gai à la fin de son secondaire 5. Avant ça, je ne me suis jamais douté de rien. Zéro! Ça ne m'était jamais passé par la tête.

Le jour où il me l'a dit, on avait parlé de mon mariage qui avait lieu une semaine plus tard et où il allait être accompagné de sa cousine. On blaguait sur ses fréquentations : «Ben oui, Ludwig, ses blondes, ça dure toujours 15 minutes, on n'a jamais le temps de les connaître!»

Quand il est venu cogner à la porte de ma chambre ce soir-là, j'étais en train de lire. Je l'ai entendu de l'autre côté de la porte : «*Mom,* il faut que je te parle.» Juste au ton de sa voix, je me suis dit : «Oh, je pense que je vais mettre ma robe de chambre. Ça a l'air sérieux.» Je suis allée le rejoindre dans le salon. Il pleurait, assis sur le divan.

> **LUDWIG**
>
> Ce qu'il faut savoir, c'est que ma mère et moi, on a toujours eu une grande complicité, on s'est toujours tout dit. C'est ça qui me rendait fou : je n'arrêtais pas de lui mentir. Je n'avais jamais menti à mes parents, ce n'était pas la relation qu'on avait et ça me faisait mal.

CHANTAL

Je me souviens que, plus tôt dans la soirée, il était nerveux. Il répondait vite, brusquement, alors qu'entre lui et moi, c'est l'amour intense depuis... qu'il a été fécondé, ma foi! Je me disais : pourquoi me répond-il aussi bêtement ?

LUDWIG

C'est ça qui a déclenché mon coming-out. On me posait des questions auxquelles je n'avais pas envie de répondre et ça me mettait en colère. Je ne voulais pas leur mentir, donc je ne voulais pas en parler. Je savais que j'étais gai depuis longtemps. J'avais un chum depuis un mois ou deux. C'était la première fois…

CHANTAL

… la première fois qu'il était en amour!

Donc, quand je t'ai vu pleurer, j'ai dit: «Est-ce que c'est à cause d'une chérie?» Tu m'as répondu: «Non.» Et là, en quatre secondes, j'ai compris: «Est-ce que c'est à cause d'*un* chéri?» Tu as fait oui de la tête et tu as redoublé de pleurs!

LUDWIG

Quand tu as dit ça, j'ai pensé: «*Thank God!* Je peux répondre en hochant simplement la tête.» Ça m'a fait du bien que tu le dises. J'avais tellement la gorge nouée que je n'arrivais pas à parler. Et j'ai vu dans tes yeux le moment où tu as allumé. Comme si tu te disais: «Ah? Je viens de comprendre quelque chose. Est-ce que… on parle de ça, là?»

Pourtant, je connaissais l'ouverture de ma mère sur le sujet et je savais qu'elle avait des gais et des lesbiennes autour d'elle. En le lui disant à elle, j'étais surtout en train de me le dire à moi-même.

Tu te donnais la permission, enfin!

En plus, son mariage approchait, c'était un moment important dans ma vie. J'étais heureux pour elle. Je voulais qu'on soit tous heureux là-dedans. C'est un événement qui parle de bonheur. Ça n'avait pas de sens que je sois aussi malheureux.

Ludwig avait aussi son bal de finissants durant le même mois et c'est lui qui avait organisé le party d'après-bal. Tous ses amis étaient là, tout le monde l'a su. Tu as craché le morceau d'un coup. Ça a été le mois de la libération. En fait, durant ce mois-là, ta face a carrément changé!

En plus, pour le mariage, mon chum et moi, ses enfants et les miens, on devait tous écrire un mot sur l'amour. Tout ça arrivait dans une période riche en émotions. Ça a tellement pleuré dans ce mariage-là, mais pleuré de bonheur. On a dû prendre une pause et décréter un «moment de mouchage». C'était beau!

Aujourd'hui, je vois ma fille qui vient de partir en appartement et elle aussi, la face lui a changé. Elle est devenue une femme presque instantanément! Pour Ludwig, ça a été ça aussi. Tout son visage s'est ouvert, toute son énergie. C'est ça que tu veux pour tes enfants. Tu ne veux pas qu'ils soient pognés.

> Tu as raison. Moi, je vivais tout ça par en dedans. Toutes les pensées, toute l'énergie que j'y mettais restaient prises à l'intérieur de moi.

Surtout que tu le savais depuis l'âge de 11 ans!

> Quand la sexualité a commencé à l'adolescence, c'était évident pour moi. Le soir, en essayant de m'endormir, je pleurais en me répétant : « Je ne peux pas être de même, je ne peux pas être de même! » Mais tu ne peux rien y changer. Tu te répètes que ça va passer. Et ça ne passe jamais.

Je me rappelle : j'avais de la misère à respirer dans mon lit. Chaque fois que j'y repensais, j'avais des palpitations, je capotais parce que je ne pouvais pas croire que j'étais pris avec ça. « Pourquoi moi ? Pourquoi suis-je obligé d'être différent ? » Mais à partir du moment où j'en ai parlé, tout s'est ouvert. Ça a été une libération !

Après, je lui ai dit : « Est-ce qu'on peut le voir ce petit chéri-là ? » et on l'a rencontré rapidement. Il est devenu un membre de la famille, invité dans tous les partys. Le chum d'après aussi. Et ça a toujours été comme ça. Je suis une rassembleuse. Je veux que le monde soit bien, soit heureux. Je veux que les gens aient envie de revenir chez nous.

C'est important que chacun ait sa couleur. Une société avec plein de couleurs différentes, c'est riche. Une petite plate-bande toute droite avec des fleurs toutes pareilles, c'est bien joli, mais un champ de fleurs sauvages qui ont toutes leur grandeur, leur parfum, leurs couleurs, c'est encore plus beau ! Je trouve qu'il y a une richesse énorme dans le fait qu'on ne soit pas tous sortis du même moule.

J'ai toujours dit à mon fils : « Je veux que tu sois le plus Ludwig que tu peux être », comme moi j'essaie encore d'être la plus Chantal Fontaine que je peux être. Avec ma saveur, ma couleur. Des fois, ça ne fait pas l'affaire des autres, mais c'est quand même ce que j'essaie d'inculquer à mes enfants.

APRÈS LE COMING-OUT, LA VIE CONTINUE

L'année passée, je me suis fait demander la main de mon fils.

> On en a parlé, Dominic et moi, et je lui ai dit : « Je pense que ma mère aimerait ça. Vas-y ! » C'était aussi une question de respect. Elle a toujours été très présente dans ma vie, on est tellement proches qu'on ne voulait pas la surprendre avec la nouvelle. On voulait plutôt qu'elle fasse partie de la décision.

C'était à l'occasion des 25 ans de Ludwig. On fêtait ça chez lui, au chalet. Le lendemain matin, tout le monde relaxait en prenant un café, mais j'ai senti Dominic devenir tout fébrile. Il a arrêté la musique et a dit : « Venez vous asseoir. » Il m'a annoncé que Ludwig et lui souhaitaient unir leur destinée.

Ils voulaient savoir si j'étais d'accord avec ça, si je les appuyais là-dedans. Évidemment, j'ai crié : « Ouiiiiiiii ! C'est quand ? » J'étais très émue qu'il me demande ça.

Depuis, ils ont été tellement occupés que le mariage n'a pas encore eu lieu, mais je vais peut-être avoir la chance d'être la grand-mère de leurs enfants avant de les voir se marier.

> Effectivement, on a commencé nos démarches pour fonder une famille. Aussi, depuis que je suis tout petit, ma mère a toujours été mon ange. Pour moi, une figure féminine, c'est quelque chose qui a été important dans ma jeunesse et qu'on ne pourra pas fournir. Donc, je tiens à ce que ma mère et ma sœur soient impliquées là-dedans.

On est très excitées ma fille et moi. On a très hâte ! Même mon chum s'est manifesté : « Et moi, je suis quoi ? » On a dit : « Mais il y a déjà deux gars. » Et là, il a immédiatement trouvé sa place : « Non, non, attendez ! Moi, je serai la figure masculine hétéro. Je vais être aussi important que vous deux ! » J'ai trouvé que c'était très vrai. On est tous très importants dans cette nouvelle aventure. Et tous très fiers.

CHANTAL FONTAINE, 49 ANS, HÉTÉROSEXUELLE
LUDWIG CIUPKA, 26 ANS, GAI

J'AI ÉTÉ DANS L'ARMÉE DE 17 À 27 ANS. PENDANT LONGTEMPS, J'AI ESSAYÉ DE COMPRENDRE POURQUOI ON N'AVAIT PAS LE DROIT D'ÊTRE OUVERTEMENT GAI DANS LES FORCES.

On avait beau être dans les années après la guerre froide, la grosse menace qui planait encore, selon eux, c'était: si on se faisait capturer par l'ennemi (le «méchant Russe»), on allait pouvoir nous faire chanter sur ce sujet-là. Mais personne n'aurait pu me faire chanter: ma famille le savait, tout le monde le savait! Je n'y pouvais rien: la position officielle de l'armée, c'était ça.

Je vivais donc une vie parallèle. Je n'avais pas de photo de ma blonde sur mon bureau, je ne parlais jamais d'elle. Ça faisait partie des règles du jeu. J'acceptais ça parce que j'aimais l'armée. C'est seulement après en être sortie, durant ma formation de pompière, ou même quand j'ai travaillé dans une compagnie d'assurances, que j'ai compris que j'étais beaucoup mieux libre. Dans l'armée, c'était comme si je n'avais pas de vie.

Plus tard, quand j'ai été embauchée comme enseignante en sécurité incendie au cégep, la direction et les collègues ont su rapidement que j'étais gaie. C'est devenu très important pour moi que ça soit clair pour tout le monde. Ça fait partie de ma vie, ça fait partie de moi. J'ai une blonde, je suis gaie et je le dis! Par contre, ça m'a pris plusieurs années avant d'en parler à mes étudiants.

Depuis 13 ans, je donne un cours sur l'ouverture à la différence qui s'appelle «Appliquer des techniques d'intervention psychosociale». En gros, j'enseigne aux jeunes à interagir avec tous les gens qui font partie de la société contemporaine: gais, lesbiennes, gens issus des

communautés culturelles, immigrants, itinérants, riches, pauvres, gens qui ont des problèmes de santé mentale, etc. En 45 heures, on n'arrive pas à parler de tout, mais on fait ce qu'on peut.

LA PREMIÈRE FOIS QUE J'AI ÉVOQUÉ MON ORIENTATION SEXUELLE EN CLASSE, C'ÉTAIT COMPLÈTEMENT INATTENDU.

J'avais demandé aux étudiants de faire un travail très personnel où ils devaient expliquer pourquoi ils voulaient devenir pompiers et décrire le chemin qu'ils avaient parcouru pour se rendre jusqu'au cégep en sécurité incendie. Leurs travaux étaient tellement bien faits que j'en ai lu plusieurs passages à ma blonde. Je découvrais en quelque sorte, avec beaucoup d'émotion, les hommes et les femmes qui étaient devant moi chaque jour. Certains avaient vécu le décès de leur mère, le suicide de leur frère, des carrières brisées. D'autres avaient fait partie d'équipes olympiques et avaient eu à faire des choix déchirants. J'ai pensé: «Je ne peux pas juste leur mettre une note, il faut que je leur en parle.»

Arrivée en classe, j'ai abordé le sujet en disant: «Vos travaux m'ont touchée, c'était beau. Je suis vraiment contente de mieux vous connaître. Je souhaite à tous les profs d'avoir cette chance-là.» Et j'ai continué spontanément: «Ça m'a tellement émue que j'en ai lu des passages...» et là, en une fraction de seconde, j'ai pensé: «Je ne suis pas pour dire à *quelqu'un*!» Et ça a sorti tout seul. Je me devais d'être vraie à mon tour: «... que j'en ai lu des passages à *ma blonde* en fin de semaine.»

En me retournant vers le tableau pour poursuivre mon cours, j'ai compris ce qui venait de se passer: « Toi, tu viens de faire ton coming-out. »

J'étais un peu inquiète de la suite des choses. On a pris la pause et au retour, j'ai constaté: «OK, ils n'abandonnent pas mon cours.»

À la fin de la période, une étudiante a attendu le départ des autres et m'a fait son coming-out elle aussi. Mais elle était un peu désemparée. Elle avait camouflé sa blonde aux autres en disant qu'elle avait un chum. «Ils veulent que j'emmène mon chum quand on fait des activités. Je ne sais plus quoi faire avec ça. Je ne veux pas leur avouer que je suis gaie, j'ai peur d'être rejetée du groupe.» Elle voulait attendre d'être embauchée, mais ça allait peut-être prendre trois ou quatre ans. Elle était tout de même contente que je l'aie dit.

Je lui ai parlé de mon expérience, comme on le fait au GRIS dans les écoles, et j'en ai profité pour lui annoncer que des bénévoles de l'organisme allaient venir dans son groupe avant la fin de la session. «Tu verras comment les autres vont réagir.»

Le jour où le GRIS est venu, tout s'est très bien passé. Plein de questions des étudiants, aucun commentaire homophobe. Quelques jours plus tard, elle m'a arrêtée dans le corridor: «Je l'ai dit à mon groupe, je l'ai dit aussi au capitaine et tout le monde est *cool*.» Et c'est à ce moment précis que j'ai eu la confirmation que mon propre coming-out avait été bien reçu lui aussi.

Depuis cette fois-là, je ne fais pas systématiquement une annonce officielle dans chacun de mes cours, mais si le mot sort, ça sort. C'est devenu libérateur de pouvoir en parler.

Et si quelqu'un avait dit à la fille qui était dans l'armée pendant 10 ans qu'un jour, elle annoncerait qu'elle est gaie à ses élèves, elle lui aurait simplement répondu: « T'es fou. »

ANIK ST-PIERRE, 47 ANS, GAIE

[R I C H   L Y]

Mes parents sont d'origine chinoise, mais je suis né ici. Ils vivaient au Vietnam, mais ils en sont partis pour fuir la guerre.

Je ne connais pas grand-chose de leur histoire. Ils ne veulent pas vraiment parler de cette étape de leur vie. Ça reste tabou. C'est seulement quand j'ai lu le livre *Ru* de Kim Thuy que j'ai compris ce qu'ils ont vécu. C'était la première fois que je lisais leur histoire dans mes mots à moi. Ça m'a beaucoup ébranlé.

Ils sont arrivés ici avec ma sœur qui avait deux ans. Il faisait froid. Ils n'avaient jamais pensé venir au Canada. Ils étaient riches au Vietnam, tout allait bien. Et là, ils devaient survivre. Ils ont trouvé des gens ici qui leur ressemblaient et ils se sont accrochés à eux. Ils se sont retrouvés à habiter ensemble dans le même immeuble, à travailler dans les mêmes manufactures. Et peu à peu, comme le veut la mentalité chinoise, ils ont abandonné leurs rêves pour se concentrer sur ma sœur et sur moi.

C'était très sévère chez nous. Je rentrais de l'école et il n'y avait que les études qui comptaient. Je ne pouvais pas sortir, je n'allais pas à des fêtes, c'était très, très strict. Même les concepts de loisir ou d'amitié n'existaient pas vraiment. Je suis resté chez mes parents jusqu'à l'âge de 23 ans, et encore là, si je voulais sortir dans un club, c'était impensable pour eux. Un club gai? Inimaginable.

En plus du choc culturel, ils ont vécu et vivent encore un choc linguistique. Mes parents parlent cantonais, mandarin et vietnamien, mais très peu le français et l'anglais. De mon côté, je parle cantonais, mais seulement avec eux. C'est donc assez limité; j'ai appris ce qu'ils m'ont montré. Par exemple, je ne sais pas comment dire à mes parents: «Je sors prendre un verre.» La seule phrase que je connais est: «Je m'en vais au centre-ville consommer de l'alcool.» Mais je ne dirais pas ça, parce qu'ils ne voudraient jamais. Donc les conversations vont rarement en profondeur.

Au secondaire, ils ont tout de même trouvé le moyen de m'envoyer à Jean-Eudes, un collège privé que j'ai adoré. Encore là, la priorité, c'était les études. Développer une personnalité n'était pas permis. Il fallait étudier, encore étudier, avoir les meilleures notes et aller à l'université en médecine. «Tu seras médecin. Après ça, tu vivras une vie si tu veux. Mais dans ta jeunesse, oublie ça.» Impossible d'avoir une blonde, encore moins un chum.

J'ai toujours su que j'étais homosexuel, mais j'ai réussi à le refouler, parce que mes parents m'ont montré à refouler. De toute façon, ils n'auraient pas accepté mon orientation sexuelle. J'avais le choix d'obéir ou de me rebeller complètement. J'ai choisi d'obéir.

Bien avant de vivre mon homosexualité, j'ai commencé à chanter. D'abord en cachette. Mes parents ne l'ont jamais su... jusqu'à ce que je fasse *Star Académie*! Au secondaire, je chantais dans les spectacles amateurs à l'école. Je faisais partie de la chorale. J'ai été un peu connu pour ça. J'étais quand même le meilleur de l'école, je n'avais pas le choix. Mais j'étais devenu *le chanteur* de l'école. Ça m'a beaucoup aidé d'avoir un talent pour me définir. J'étais chanteur avant d'être gai. J'étais chinois avant d'être gai. J'étais une «bolle» avant d'être gai. J'ai eu bien d'autres étiquettes avant d'avoir celle d'homosexuel.

À la même époque, je me souviens d'être allé avec mes parents dans le quartier chinois. En rentrant à la maison, on avait traversé le Village en auto. Mes parents ne savaient pas que c'était un quartier gai. Moi, je le savais, je regardais les bars et j'étais fasciné.

Je fantasmais : «Quand je vais être un adulte, je vais marcher dans cette rue-là.» Le fantasme n'était même pas de coucher avec quelqu'un ou d'être ouvertement gai. C'était juste : «Je vais traverser le Village à pied.» Je partais de loin !

C'EST AU CÉGEP QUE LES CHOSES ONT VRAIMENT ÉVOLUÉ.

J'ai fait mes années de cégep dans un collège privé de Toronto, une école un peu à la Harry Potter pour laquelle j'ai obtenu une bourse. Dix maisons, juste des gars. On était 15 par classe, 52 gars qui habitaient ensemble dans la même maison. Là-bas, je n'avais plus mes parents pour me dire quoi faire. Mais je n'étais pas en contact avec mes émotions. Je n'avais jamais bu, je n'étais jamais sorti. Et soudainement, j'avais une espèce de liberté. La liberté de faire ce que je voulais.

Ces deux années ont tout changé pour moi. D'abord, les conflits sont arrivés dans ma tête : «OK, je suis un gai refoulé qui s'en va dans un collège de gars. Est-ce que ça va se savoir? Est-ce que je vais être la tapette de l'école? Est-ce que je vais me faire niaiser?» Ensuite, je venais d'une famille défavorisée et mes parents avaient fait de gros sacrifices pour m'envoyer dans un collège privé. Là, je me retrouvais avec des gens riches, des millionnaires, des fils de ministres. En plus, ça se passait en anglais et j'étais loin de chez moi. C'était vraiment une nouvelle vie.

En classe, je trouvais les gars beaux. Le soir, pendant que je faisais mes devoirs, le capitaine de l'équipe de hockey pouvait entrer dans ma chambre en bobettes sans prévenir, en se grattant la poche! Moi, je ne connaissais pas ça, se gratter la poche... Au début, j'étais mal à l'aise. Qu'est-ce qui se passe? Est-ce que je deviens gai, là, maintenant? Pour lui, c'était *no big deal*, il avait juste une question à me poser! Assez rapidement, j'ai compris que c'était comme ça qu'on vivait. On était entre gars, et tout le monde entrait dans la chambre des autres. Je me souviens, le soir, on avait des *house meetings* après le souper. Tout le monde était en bobettes. Moi, j'étais encore le *nerd* complètement habillé et fasciné par ces nouveaux modèles. Des modèles masculins.

Quand je dis que j'étais dans un collège de gars, qu'on était 52 dans une maison, tout de suite, les gens blaguent: «*Oh my God,* 52 gars! Il devait s'en passer des choses.» Il ne s'est vraiment rien passé. Pas que je sache en tout cas. Ou alors je n'étais pas invité. Cela dit, je n'ai jamais eu à faire mon coming-out. Les gars s'en doutaient.

J'ai été chanceux: c'était une école où la solidarité passait avant l'intimidation. Si quelqu'un avait osé me faire du mal, toute ma maison aurait été derrière moi. Ils étaient là pour moi.

Pendant que j'étais à Toronto, de 2001 à 2003, j'ai peut-être vu quatre ou cinq homosexuels au collège, mais ils ne le disaient pas. J'ai quand même un petit regret par rapport à l'un d'eux. Les élèves de notre collège se rendaient dans une école de filles pour faire des partys, des danses. Il y avait un gars de notre école, un autre Asiatique, qui avait un look un peu marginal. Il était venu me demander de danser avec lui. Je pense que ça a été mon premier vrai contact avec l'homosexualité. Lui était gai, je le savais. Et j'ai dit non. Je le regrette encore aujourd'hui, parce que j'admirais son courage.

[TÓNG XÌNG LIÀN]

QUAND JE SUIS REVENU À MONTRÉAL, J'AVAIS 20 ANS. JE N'ÉTAIS PLUS LA MÊME PERSONNE, J'ÉTAIS PLUS ÉPANOUI, JE SAVAIS CE QUE JE VOULAIS.

J'avais vécu des expériences, dont ma première expérience gaie. Autant j'étais pogné quand je suis arrivé là-bas, autant après, c'était clair. Quand tu vis avec 51 gars, tu te déniaises, veux, veux pas.

Je suis retourné vivre chez Papa et Maman. Entre 20 et 23 ans, c'était ultra dur. Ça a été ma période sombre. Il fallait retourner dans les règles, et le choc a été encore plus grand. J'ai étouffé.

Un jour, ma mère m'a posé des questions. Elle avait vu un t-shirt rose dans ma chambre et un *Vanity Fair* avec Tom Ford et Scarlett Johansson nus en page couverture. Elle m'a assuré que je pouvais lui dire si j'étais gai, qu'elle allait toujours m'aimer. Je connaissais le mot cantonais pour « homosexuel » : *tóng xìng liàn*. C'est un mot sans connotation négative, quasiment scientifique. Je l'avais entendu à la télé chinoise, mes parents aussi. Mais on ne l'utilisait pas. Ce n'était pas dans notre vie, on ne le disait pas, on n'en parlait pas.

Quand elle m'a lancé ça, il y a eu une avalanche d'émotions. Mon cœur s'est mis à battre super fort. Est-ce que c'est là que ça se passe? Est-ce que ma mère a écouté une espèce d'Oprah en chinois et elle peut maintenant faire preuve d'une ouverture que je ne lui connaissais pas? J'étais sur le point de formuler ma réponse. De trouver comment j'allais lui annoncer ça... Mais elle a ajouté: «Tu peux me le dire... Ça se guérit.»

À ce moment-là, la porte s'est refermée. Je savais que je ne trouverais pas les mots en cantonais pour lui expliquer. Par exemple, quand j'ai quitté la maison, je voulais dire «Maman, j'étouffe», mais ça ne se traduit pas en cantonais. Tout ce que je pouvais dire, c'est «Maman, je suis triste.» C'est vraiment pas la même chose. Alors, comment expliquer que je suis gai? Je n'ai tout simplement pas les mots. Je ne veux pas juste leur garrocher ça en pleine face, et que leurs rêves s'écroulent. J'aime mes parents et je veux que ça se passe bien. Mais je n'ai pas l'impression qu'ils ont les outils — ni moi d'ailleurs — pour qu'on puisse se comprendre.

Depuis que je suis parti de chez mes parents, j'ai eu trois relations amoureuses qui ont chacune duré deux ans. Au travail et dans ma vie de tous les jours, mon homosexualité n'est ni proclamée ni cachée. Ça passe naturellement.

Je pense que ce livre sera ma façon de l'annoncer à ma sœur. Je vais lui présenter le livre, tout simplement. Si un ami de la famille veut le montrer à mes parents, on gérera ça en temps et lieu. Je serais déçu de faire de la peine à mes parents, c'est sûr. Mais je ne vis pas ça dramatiquement. Ils ont vécu bien pire que ça, à mon avis.

RICH LY, 31 ANS, HOMOSEXUEL

Je vivais à London en Ontario quand j'ai appris que j'étais séropositif. Je n'avais jamais eu de chum, j'avais 35 ans.

En 1985, quand tu apprenais que tu étais séropositif, ça signifiait que tu mourrais dans deux ans. « Je n'aurai jamais eu de chum, je n'aurai jamais connu l'amour », que je me disais. Et ça, c'était plus dévastateur que tout. Même si je ne mourrais pas deux ans plus tard, qui aurait voulu sortir avec un gars séropositif à cette époque-là ? C'était sortir avec quelqu'un qui était mourant et contagieux. On ne savait pas trop comment c'était transmis.

Trois semaines après avoir reçu mon diagnostic de VIH, je me suis fait mon premier chum. On a cliqué instantanément. On est restés ensemble pendant 10 ans.

PIERRE RAVARY, 64 ANS, GAI

Quand j'étais jeune, j'entendais: «Les lesbiennes, c'est dégueulasse.» Mon frère, ma sœur, mon père, tout le monde disait ça. Je pensais: «Mon père va me mettre dehors, mon frère ne voudra plus me parler, ma sœur va me détester. Je vais m'organiser pour changer, pour que ça ne paraisse pas.» J'ai donc décidé de me laisser pousser les cheveux.

Enfant, j'avais toujours eu les cheveux très courts et, au secondaire, en ayant les cheveux longs, je me faisais déjà moins écœurer.

Sauf qu'un jour, la mode pour les gars a été d'avoir les cheveux longs à la Kurt Cobain. Et en même temps, Sinéad O'Connor avait la tête rasée! Là, je me suis dit: «OK, me niaisez-vous là?! Qu'est-ce que je suis supposée faire maintenant?»

GENEVIÈVE DUMAS, 33 ANS, LESBIENNE

À mon premier défilé, c'était noir de monde! Quand le défilé se terminait, on marchait tous sur René-Lévesque en direction du Village. Je vais toujours avoir cette image-là en tête. Tu le sais qu'il y a d'autres gais dans la vie, mais là, d'être au milieu d'une mer de monde comme toi, c'était formidable! C'était aussi un vrai sentiment de fierté de prendre part à ça, de se dire: on est tous ensemble et on se tient. Je trouvais ça beau!

**Jean-Philippe Dion,
31 ans, gai**

Ça fait trois ans que je marche dans le défilé avec le GRIS. C'est complètement différent d'y participer que de le regarder. C'est vraiment une fête! Il y a toute une énergie qui s'en dégage, autant dans les groupes qui défilent que parmi les gens qui nous regardent. Quand tu es au milieu du défilé, tu ressens ça. Les gens nous applaudissent, il y a une sorte de reconnaissance. Quand on fait partie du GRIS, c'est gratifiant de voir que les gens apprécient ce qu'on fait et nous encouragent à continuer. À Mexico, les gens regardent passer la parade, mais ils n'applaudissent pas. Il n'y a pas cette belle interaction.

Vladimir Pliego, 37 ans, gai

Quand j'ai vu dans le défilé des filles avec leurs bébés et des gars avec leurs enfants, j'étais contente. Contente, mais déçue d'être née à la mauvaise époque. J'aurais aimé vivre ça ouvertement comme eux, vraiment.

**Francine Beaulieu,
65 ans, lesbienne**

MA PREMIÈRE PARADE GAIE,

c'était l'anti-parade. La Ville nous avait permis de faire un défilé si on portait des jeans propres, s'il n'y avait pas de fesses à l'air, ni de gars en cuir ou de *drag queens*. Celui qui organisait le défilé avait plié et on était en tabarnac! On s'est organisé une gang du bar Poodles et on s'est déguisés. Moi, je me suis mis en *drag*. J'étais pas rasé, j'avais le cul à l'air et je portais du cuir. On s'est révoltés et on a marché derrière la parade gaie, avec des gens d'Act Up. On suivait le dernier groupe en criant: «On est gais, on est fiers, on ne se laissera pas dire quoi faire!» Je venais d'avoir 21 ans. C'était les débuts de la Mado engagée.

Luc Provost, alias Mado Lamotte, 50 ans, gai

JE ME SOUVIENS DE LA PREMIÈRE FOIS OÙ J'AI MARCHÉ DANS LE DÉFILÉ.

Avec le soleil dans le dos, on avait le sentiment de marcher dans la lumière. C'était tellement impressionnant, tellement libérateur. Quelques années plus tard, j'ai reçu la visite d'amis français qui ne sont pas *out* dans leur travail. Quand ils nous ont vus dans le défilé, ils ont pleuré tellement ça les a émus. Et ça m'a rappelé l'émotion que j'avais ressentie à mon premier défilé: la porte était enfin ouverte et, de l'autre bord, c'était juste de la lumière. J'imagine que c'est un peu ce que tu dois ressentir en arrivant au paradis!

Michel Raymond, 55 ans, gai

La première fois que je suis allée au défilé, ce qui m'a vraiment marquée, c'est la minute de silence. Ça me rendait tellement émotive! Même la dernière fois, je me suis dit: «Wow! Tout ce monde-là est en silence avec nous.» C'est là qu'on réalise la chance qu'on a ici. On peut défiler et personne ne vient nous frapper dans la rue.

Julie Robillard, 32 ans, bisexuelle

Ce que j'ai toujours aimé, c'est d'être sur le trottoir pour le regarder et, quand c'est fini, de rentrer dedans. Entre le couvrir comme journaliste, être dedans comme VIP ou assister au défilé, le plus le fun, c'est d'être sur le trottoir, puis de rentrer dans la masse pour montrer le poids du nombre. C'est rare qu'on a l'occasion de se rendre compte qu'on forme un groupe substantiel. C'est le seul moment qui est un petit peu plus politique. C'était encore plus beau sur Saint-Denis quand on descendait la côte en bas de Sherbrooke. J'ai toujours trouvé ce moment-là émouvant.

Philippe Schnobb, 50 ans, gai

J'ai vécu mon premier défilé de la Fierté à Montréal à titre de président d'honneur. Je n'avais jamais participé ni même assisté à un défilé avant celui-là. J'étais renversé! Je ne pouvais pas croire à tout le soutien du public et au nombre de personnes qui étaient présentes.

Il y a eu plusieurs activités dans les journées qui ont précédé le défilé, qui est le clou des festivités, et j'ai senti l'énergie monter tout au long de la semaine. Au défilé, Justin Trudeau et le maire de Montréal étaient présents. J'ai fait un discours. J'ai senti que c'était vraiment important. Et juste de voir la quantité de danseurs, les costumes et les couleurs, les *drag queens* et tous les drapeaux arc-en-ciel, c'était impressionnant. Je ne sais pas comment l'événement a pu devenir aussi gros. C'est vraiment à ce moment-là que j'ai compris que la parade symbolisait tout le chemin parcouru et où nous en sommes rendus comme communauté.

David Testo, 33 ans, gai

J'ai fait mon premier défilé gai avec l'organisme Arc-en-ciel Afrique. Chaque fois qu'il y avait une caméra de télévision, j'essayais de faire des signes, comme pour dire: «Hé toi, chez toi! Tu penses que tu es la seule Noire ou le seul Noir homosexuel ou bisexuel, eh bien regarde, moi je suis là et je m'amuse. Je suis fière et il n'y a pas de problème.» C'était une journée tellement euphorique pour moi!

À un moment donné, un Jamaïcain m'a dit: «En Jamaïque, on vous ferait couper la tête.» Il a crié ça pendant la parade! Je lui ai répondu sans hésiter: «On n'est pas en Jamaïque ici. On est fiers et on va célébrer!» Je n'en revenais pas que du monde ose encore se présenter à la parade pour lancer des insultes.

Marlyne Michel, 29 ans, bisexuelle

Je suis une maman et ce que j'aime là-dedans, c'est le fait que l'événement met de l'avant des ressources pour les jeunes. Que ce soit un regroupement de sport et de loisir ou des associations gaies de différentes origines ethniques, tout ça pour moi, c'est important. Bien plus que le côté coloré du défilé. Les organismes qui aident les jeunes, c'est ça qui me parle le plus.

Sonia Tremblay, 46 ans, lesbienne

Le défilé, j'y étais allée une fois ou deux avant mon coming-out, mais ça m'intéressait moyennement. À partir du moment où j'ai été *out*, là je suis allée le voir et j'étais vraiment énervée. J'ai regardé passer tout ce qu'il y avait, je ne voulais rien manquer. C'est comme si je me disais : « C'est *ma* communauté et je veux voir le monde de *ma* communauté. Je suis là pour les encourager. Je veux voir de quoi ils ont l'air et ce qu'ils font. » J'ai trouvé ça merveilleux !

Michèle Brousseau, 49 ans, lesbienne

Plus jeune, j'ai assisté au défilé à Montréal et je prenais plein de photos. Ce qui m'a frappée, c'est de voir mon oncle policier – il est à la retraite maintenant –, un vrai gars « testostérone », avec sa grosse moustache. Il était là dans la parade, il travaillait. Quelle image incroyable ! J'ai une photo où il est à côté d'un gars tout maquillé, avec des plumes et une belle grande robe. Je pense même qu'il avait des échasses. Flamboyant ! Mais ce qui m'a vraiment fait plaisir, c'est de voir qu'il n'était pas gêné d'être là. Pour mon oncle, c'était une grosse affaire ! Mais il avait l'air très, très bien. C'était une belle image, c'était super beau.

Fanny Mallette, 39 ans, hétérosexuelle

Pendant longtemps, j'étais contre. Je me demandais à quoi ça servait. Je disais les lieux communs habituels : « Pourquoi s'en aller dans la rue pour dire ça ? Et les images qu'on voit à la télé, c'est toujours le gars déguisé en fille avec une plume dans le derrière… » J'étais dans cet esprit-là moi aussi, jusqu'à ce que j'aille au défilé. En fait, ce qui m'a touché et impressionné le plus, c'est l'après-défilé.

Les gens marchaient dans le Village, des gens que tu ne vois jamais, des gais qui sortent juste au défilé. Tous les placards étaient vides cette journée-là. C'étaient des gais et des lesbiennes de tous âges, des couples dont je ne soupçonnais même pas l'existence. J'ai eu un moment d'émotion. J'étais assis à une terrasse, je prenais une bière, je regardais le monde passer et là, j'ai compris à quoi servait le défilé. C'est ça la fierté. On ne le comprend pas tant qu'on n'y est pas allé. J'ai vu sous mes yeux leur fierté d'être au grand jour, main dans la main, tels qu'ils sont, la tête haute.

Dany Turcotte, 50 ans, gai

Ma mère a découvert mon orientation sexuelle durant le tournoi de volley-ball aux Outgames de Montréal, en 2006. J'avais 20 ans.

On venait de finir une partie. On était assis, on mangeait. Je me retourne, je vois ma mère. Elle avait fouillé dans mes affaires et compris que je jouais ce jour-là au centre Claude-Robillard. Elle m'a dévisagée avec le regard de désolation le plus profond : « Tu m'as déshonorée. » Un regard que je ne souhaite à personne de la part de ses parents.

Ma blonde s'est retournée vers moi et m'a dit : « C'est beau, tu peux y aller. » Elle savait que ça allait prendre du temps, que ça ne serait pas facile. Aujourd'hui, j'en parle en souriant, mais à l'époque, ça a été la catastrophe.

Ma mère est hyper religieuse. Elle prie trois fois par jour. Elle pratique une religion évangélique basée sur le démon, le diable, le bon et le mauvais. Un peu comme les *Born Again Christians*. C'est quasiment une secte, en fait.

La seule chose qu'elle m'a dite et dont je me rappelle, c'est : « Tu ne veux pas être comme ces gens-là. Regarde autour de toi. J'ai tout fait pour toi, pour que tu ailles au paradis. Tu ne veux pas y aller au paradis? Pourquoi tu fais ça?»

Ça a commencé comme ça. Ouf... Gros sujet de conversation. Est-ce que je veux aller au paradis? Oui. Mais est-ce que j'aime les femmes? Oui. Par où on commence?

À partir de ce jour-là, le sujet de l'homosexualité a fait l'objet d'un gros débat entre ma mère et moi. Elle s'est mise à prier cinq fois par jour. Elle a acheté des chapelets en masse, des Bibles, de l'eau bénite. Elle disait que le démon avait pris possession de sa fille.

Entre 20 et 23 ans, ça s'est terminé avec ma blonde et j'ai fréquenté un gars pendant un an. Ça l'a rassurée. Elle l'a rencontré et elle était prête à payer notre mariage. Elle ne me parlait plus d'homosexualité. Par contre, quand cette relation-là s'est terminée, j'ai fréquenté d'autres personnes, des gars comme des filles. Elle a recommencé à me poser des questions.

Un jour, je suis rentrée du travail. Il y avait des hommes assis dans le salon, l'air vraiment sérieux. Ma mère est venue vers moi: «Il faut qu'on parle.» L'un des hommes a alors posé la main sur mon épaule et a commencé à faire une prière. Il disait que le démon allait sortir de moi et qu'au nom de tel saint, il fallait m'exorciser. «Démon, sors!»

J'ai été prise par surprise: «Un instant, je reviens à peine du travail. Pardon, vous êtes qui? Est-ce que je peux vous aider?» Il s'est présenté:

« Je suis le révérend Untel et je suis avec le pasteur Machin. On est ici pour t'exorciser. Ta mère nous a dit qu'un démon ne veut pas te lâcher. Ne t'inquiète pas, on va t'aider. »

J'ai dit : « Non, je m'excuse, mais j'ai un 5 à 7. Il n'y a pas de démon qui va s'exorciser ici. » J'ai regardé ma mère : « Je m'excuse Maman, je ne veux pas te manquer de respect, ni à toi ni à ta religion, ni au révérend ni au pasteur, mais il faut que je m'en aille. »

Je suis rentrée dans ma chambre pour me changer. En sortant, c'était incroyable, de l'eau bénite revolait partout, ils lançaient ça sur ma porte. Le révérend m'a donné une Bible. « Si tu en as besoin, on va se reparler la semaine prochaine. Je sais que c'est difficile, mais ne t'en fais pas, on va t'exorciser. »

Là, ça a été le bout de la marde, comme on dit. Le lendemain, mes affaires étaient rangées dans ma valise. « Maman, je t'aime énormément, plus que tout au monde, mais je ne pourrai pas continuer comme ça. » Je me suis loué un appartement.

Il faut savoir que je suis moi-même croyante et pratiquante, de religion catholique. J'ai fait ma première communion, ma confirmation.

J'ai réglé ce que j'avais à régler. Je prie, je suis religieuse. Mais pas à ce point-là.

La religion de ma mère n'est d'ailleurs pas la seule à avoir eu un effet sur ma vie. J'avais une amie d'enfance, une Algérienne musulmane pratiquante. Quand je lui ai appris que j'étais bisexuelle, j'avais 20 ans ; ça faisait 10 ans qu'on se connaissait. Du jour au lendemain, elle a arrêté de me parler. J'ai essayé de reprendre contact avec elle, mais elle n'a jamais voulu. Je pense que pour elle, comme ce n'est pas acceptable dans sa religion, il fallait que ça s'arrête là. Tu dois gagner ta place au paradis, donc si tu te tiens avec les mauvaises personnes, tu perds des points. C'est un peu comme ça, malheureusement, que c'est expliqué dans certaines religions.

Ça m'a fait beaucoup de peine. Plein de gens m'ont dit : « Si elle ne te parle plus, ça veut dire que ce n'était pas une si bonne amie que ça. » Ce n'est pas aussi simple. Ce n'est pas parce qu'elle n'était pas une bonne personne qu'on n'est plus amies. Ça a dû être déchirant pour elle aussi d'avoir à faire ce choix-là.

J'ai aussi eu une blonde qui était musulmane pratiquante. La relation s'est terminée justement parce que c'était devenu trop difficile pour elle de choisir entre le Coran, ses parents, leurs valeurs et notre relation. Elle était extrêmement proche de sa famille. Aujourd'hui, elle est mariée, elle a un enfant. Elle a communiqué de nouveau avec moi ;

« ON EST ICI POUR **T'EXOR-CISER.** »

« NON,
JE M'EXCUSE,
MAIS J'AI
UN 5 À 7. »

– Non, il a des problèmes de drogue.
– C'est pas grave ! »
Quand c'est un homme, il pourrait être suicidaire, drogué, *whatever,* pas de problème. Mais si c'est une fille, c'est autre chose…

Elle a rencontré mes copines aussi. J'ai toujours tenu à ce qu'elle rencontre les deux, autant les hommes que les femmes. Mais mes copines ne sont jamais assez bonnes pour elle. « Pauvre fille, elle est bien belle, mais qu'est-ce qui lui arrive ? Pourquoi elle est lesbienne ? » Elle les aime bien, mais elle les plaint. Elle pense qu'elles sont aussi sous le joug du démon.

Expliquer la bisexualité, c'est un travail quotidien. C'est vraiment une réalité que les gens mettent du temps à comprendre. Quand tu es bisexuelle et que tu sors avec un homme, souvent, tout est à recommencer. C'est comme si tout le monde se disait : « Bon, c'est fini ce temps-là. Elle a enfin compris que ce n'était pas pour elle d'être avec des femmes. »

Cela dit, il y a de petites lueurs d'espoir de temps en temps. À Noël dernier, j'étais avec ma copine dans un party de famille et mon oncle est venu me voir : « Comment tu fais ? Tu as tout le temps des belles blondes. Tu les rencontres où ? Présente-moi-les, j'ai le goût de rencontrer une nouvelle fille. » J'étais crampée qu'il me dise ça. C'est le mari de ma tante, qui est la sœur de ma mère. Venant de lui, c'était vraiment *cool.*

elle voulait qu'on se revoie. J'ai refusé. Je ne sais pas si elle le regrette maintenant, mais je n'allais pas briser un mariage. Elle voulait me revoir pour plus qu'un café. Un café épicé !

Pour ce qui est de ma mère, depuis la fameuse tentative d'exorcisme, il n'y a eu aucune évolution, zéro. Elle est encore à fond dans la même religion. Elle va dans des séminaires, elle voyage avec son Église. Elle évangélise même sur l'homosexualité. C'est un fléau à ses yeux ; elle en a fait son cheval de bataille. Elle est 100 % convaincue qu'un jour, je serai délivrée de cette maladie. Notre relation en a pris un gros coup.

Chaque fois qu'on essaie d'avoir une conversation, ça revient toujours à ça : « Mais tu serais tellement plus heureuse avec un homme ! » Quand j'ai un chum, elle me dit : « Pourquoi tu ne le maries pas ? Il est parfait. »

CROYANTE
ET BISEXUELLE

Ce n'est pas évident d'être croyante et pratiquante quand on est bisexuelle ou lesbienne. C'est comme s'il fallait arriver à ce que les deux parties du cerveau ne se parlent plus. Sinon, la conversation est infinie. Plein de gens m'ont confrontée :

« Marlyne, je ne comprends pas, tu es bisexuelle, tu es avec une femme. Comment peux-tu encore dire que tu es croyante et religieuse ? » Honnêtement, je ne le sais pas.

J'ai toujours entretenu une conversation avec Dieu : je lui parle, autant quand ça va bien que quand ça va mal. Je me confie à lui depuis que je suis très jeune. J'allais à l'école catholique, j'ai fait ma catéchèse. J'ai été élevée là-dedans. Je connais mes psaumes et mon *Ave Maria* par cœur.

C'est certain que j'ai eu des moments où je n'avais pas envie d'aller à l'église. Pas envie de communier ni d'entendre quoi que ce soit au sujet de la religion. Surtout parce que c'était trop difficile avec ma mère ; je n'en pouvais plus.

Je suis allée voir du côté du bouddhisme, j'ai commencé à faire du yoga, je me suis rapprochée d'autres religions qui étaient

plus acceptantes, selon moi. Mais aucune religion n'est parfaite, il y a toujours quelque chose qui cloche. Je pense que pour moi, c'est rendu davantage une question de spiritualité que de religion.

Maintenant, la grande question : vais-je aller au paradis ou non ? On verra bien…

**MARLYNE MICHEL,
29 ANS, BISEXUELLE**

Quand j'étais très jeune, mes meilleures amies étaient des filles avec qui je jouais dans la ruelle derrière chez moi, dans Rosemont. On jouait à l'école ou à l'épicerie, des jeux qu'on s'inventait. J'étais le professeur qui leur donnait des devoirs, des points, des autocollants. C'est moi qui menais le jeu, tout le temps.

Au primaire, j'ai fait partie des Petits chanteurs du Mont-Royal, puis j'ai fait mon secondaire dans un collège de gars. À ce moment-là, mes meilleurs amis étaient des gars. Mais j'avais toujours plein de blondes. J'étais un homme à femmes, moi! Jusqu'à l'âge de 17 ans, je n'arrêtais pas d'embrasser les filles. J'aimais ça, j'aimais ça! Embrasser un gars, c'était impossible. J'avais même le dégoût de ça.

Par contre, j'avais de la facilité à devenir ami avec les garçons. Je pense que ce qu'ils aimaient chez moi, c'était mon humour. J'étais déjà le clown de service dans la ruelle comme à l'école. Je ne me costumais pas dans ce temps-là. Je n'ai jamais voulu porter de robe non plus. Ma jeunesse n'a pas été comme celle du petit garçon du film *Ma vie en rose*.

Je dis que je ne me déguisais pas, mais j'ai toujours aimé chanter des chansons devant la famille ou lire des textes, comme on faisait aux Petits chanteurs. À six ans, j'ai dit à Moman : « Je vais faire du théâtre plus tard. » À dix ans, je lui ai répété la même chose. Au collège Notre-Dame, il fallait des gars pour jouer les rôles de filles dans les pièces de Molière. Je me portais volontaire. C'était ben plus le fun de jouer les rôles de femmes excentriques et j'étais bon là-dedans.

À Notre-Dame comme aux Petits chanteurs, c'est sûr qu'on se faisait traiter de fifs ou de tapettes, mais c'était la même chose pour tout le monde. Pas juste pour ceux qui étaient freluquets ou efféminés

comme moi. Mais j'avais tellement une grande gueule que ça ne prenait pas de temps que je te clouais ça, un bec.

Je me suis défendu avec des mots toute ma vie. Si on me disait « T'es fif, tu tripes sur Pat Benatar, nous autres on tripe sur Led Zeppelin ou Genesis », je leur répliquais : « C'est vous autres les fifs, vous tripez sur des gars ! » Je revirais ça de bord. Il n'y avait pas moyen de me rendre fif !

Aussi, je me suis entouré de gars qui pouvaient me protéger. Par exemple, le joueur de football que tout le monde adorait, moi je le faisais rire. Dès que je me faisais niaiser, il réagissait : « S'il y en a un hostie qui niaise Provost, il va avoir affaire à moi. » C'était réglé.

Plusieurs gais de mon âge en ont arraché. Ils ont subi de l'homophobie au quotidien. J'ai eu une enfance assez différente de la leur : ne cherchez pas le drame familial ou la discrimination de mon côté, y en a pas ! Ne cherchez pas non plus le petit enfant malheureux : j'ai adoré l'école, j'ai eu plein d'amis, tout s'est bien passé. On pourrait s'attendre à ce qu'une future *drag queen* ait été l'exemple parfait de l'adolescent efféminé qui a souffert d'homophobie, mais ce n'est pas mon cas, même si j'étais clairement plus excentrique et « folle » que la moyenne des gars.

Le plus drôle, c'est qu'aujourd'hui, le personnage de Mado a pris la relève de l'enfant extraverti que j'étais. Quand les gens rencontrent Luc, ils me trouvent bien tranquille, pas *flyé* pour deux cennes. Ils sont surpris de voir que le gars derrière la *drag queen* est pas mal moins exubérant qu'un Louis-José Houde ou un Christian Bégin, qui ne sont pas gais.

LUC PROVOST, ALIAS MADO LAMOTTE, 50 ANS, GAI

LES *DRÔLES DE DAMES,* ÇA, C'ÉTAIT LE FUN.

C'était trois femmes qui accomplissaient des missions. Elles en avaient dedans ! Ma préférée, c'était la brunette aux cheveux longs, Kelly Garrett. D'ailleurs, il n'y avait pas d'histoire d'amour dans cette série-là. Les filles étaient soit asexuées, soit lesbiennes en trio, je ne sais pas. C'est ça qui devait me séduire : il n'y avait rien à enlever à l'histoire. Aucun homme ne leur tournait autour, aucun homme ne gâchait le portrait ! Finalement, il n'y avait rien pour déplaire à une jeune lesbienne qui s'ignorait, mais qui s'intéressait déjà à ce qu'elle allait aimer plus tard...

MARIE HOUZEAU, 44 ANS, LESBIENNE

Durant les années 70, il y avait encore un relent de religion. L'homosexualité, c'était péché. C'était sale, des tapettes. Dans mon cas, il a suffi qu'on me traite de tapette deux fois seulement pour que l'effet se fasse sentir.

Quand j'étais en quatrième année, je jouais à l'élastique dans la cour d'école et j'étais spectaculairement bon parce que je faisais déjà de la gymnastique et du trampoline. Et je me suis fait traiter de tapette. Une fois. J'ai immédiatement arrêté de jouer et je me suis raidi. Raidi physiquement. J'étais conscient que je ne voulais plus me faire traiter comme ça et quelque chose dans mon corps a changé. Puis, en secondaire 5, j'avais plein d'amies de fille et c'est arrivé une deuxième fois. Une fille m'a traité de tapette et ça m'a encore frappé.

À 35 ans, quand j'ai fait une thérapie, mon psychologue a vu quelque chose :

« C'est un peu triste de te voir marcher.
– Comment ça ?
– Tu es raide, tu es vraiment pogné. Tu n'es pas bien dans ton corps. »

Ça a été tellement clair, tout d'un coup, j'ai tout vu. Je me suis revu à 10 ans, à 17 ans. J'avais tout intégré ça dans mon corps pour ne pas que ça paraisse.

« Tu vas faire des exercices devant le miroir. Je veux que tu sois le plus efféminé possible et que tu te regardes. »

Je l'ai fait et je me suis dit : « J'y vais à fond, je ne veux pas être pogné. Peu importe, je vais être ce que je vais être. Si je suis une grande folle, je serai une grande folle. » J'ai fait l'exercice et après ça, je ne me suis plus jamais surveillé. Ça a été comme une espèce de libération de mon corps.

ÉMILE GAUDREAULT, 51 ANS, GAI

> « *On n'est pas une famille* **habituelle,** *mais on est une famille* **quand même !** »

Pendant une discussion qui portait sur l'homosexualité et l'adoption dans un cours de morale, Jean-Philippe, mon fils aîné, avait pris la parole devant la classe : « Papa est homosexuel et il nous élève aussi bien qu'un père hétérosexuel. » Il m'avait raconté ça le soir et – wow ! – je l'avais trouvé pas mal bon.

En deuxième année, Jérôme, le plus jeune, s'est fait demander de dessiner sa famille. Au-dessus de ses bonshommes, il avait écrit : « Moi, ma sœur, mon frère, ma mère, mon père, l'ami de mon père. » Avec une grosse barre entre sa mère et moi. Il a même dessiné notre oiseau. C'était tellement spontané. J'avais annoncé aux enfants ma relation avec Yvon au printemps, et on était rendus à la rentrée scolaire. Yvon vivait avec nous depuis le mois de juillet seulement.

L'été, on sortait parfois en famille, avec les cinq enfants : les deux filles d'Yvon et mes trois enfants. Le fils aîné d'Yvon venait rarement. Un jour, à la billetterie d'un endroit qu'on voulait visiter, on a demandé le tarif familial. La jeune fille à la caisse a dit : « Non, vous n'êtes pas une famille. » Je me souviens encore que Justine, qui était toute petite, a répondu : « On n'est pas une famille habituelle, mais on est une famille quand même ! » On l'a eu, notre tarif familial !

Les enfants ont toujours été très ouverts là-dessus avec leurs amis. Ils ne font pas de cachettes. Et je n'ai jamais senti qu'ils ont honte de moi ou qu'ils sont gênés de ce que les autres vont dire. C'est pour ça que je les trouve chanceux de vivre à une époque où les gens sont plus ouverts.

RÉJEAN HÉBERT, 59 ANS, HOMOSEXUEL

« LA PROCHAINE FOIS, **TU RÉPONDS !** »

QUAND J'AI ENTENDU LE MOT «LESBIENNE» VERS L'ÂGE DE SEPT ANS, J'AI FAIT : «C'EST QUOI?»

Ma mère m'a répondu : «C'est une femme qui est amoureuse d'une femme, comme Myra Cree avec Solange.»

Myra vivait avec ses quatre enfants et sa conjointe dans le même village que moi, à Oka. Je suis entrée en contact avec elle quand j'avais environ neuf ans, parce que je jouais à la pétanque avec le neveu de sa blonde. Elle est venue nous voir jouer et moi, j'étais fascinée !

Myra, c'était Anouk Aimée. Une beauté incroyable, une splendeur et une aura magnifiques. Et elle passait à la télé ! Il y avait une vedette de la télé qui venait me voir jouer à la pétanque. Et en plus, elle avait une vie marginale. J'ai compris très jeune que j'aimais les filles. Et j'ai vite fait le lien : **«Myra, je suis comme elle.»**

En plus, elle avait l'air heureuse et elle était respectée. Ça m'a beaucoup facilité la vie d'avoir un modèle à un si jeune âge, et pas n'importe quel modèle. Un modèle heureux, un modèle de réussite.

Je savais donc que j'étais lesbienne, mais je n'ai jamais subi d'homophobie. Ma nature était telle que quand j'étais petite, je me faisais plutôt crier des noms parce que j'étais grosse. Je me souviens d'être entrée chez nous en pleurant et mon père avait dit : «Qu'est-ce que tu as répondu ?
— Ben euh... rien.
— La prochaine fois, tu réponds !»

Avec mon père, on s'amusait à avoir le dernier mot. C'était un jeu, une gymnastique. Le pauvre, il a fini par en souffrir parce que l'élève a dépassé le maître...

Aujourd'hui, je me rends compte que s'il m'avait dit : «C'est pas grave, nous autres, on t'aime de même», ça aurait été différent. Non, il a dit : «Réponds !» Je suis sûre que ça a tout changé. Que mon problème de poids m'a mise à l'abri de plein de choses, même de mes tantes : «C'est sûr qu'elle n'a pas de chum, elle est grosse.» Je pense vraiment que je suis née à la bonne époque, à la bonne place.

MONIQUE GIROUX, 51 ANS, LESBIENNE

J'ai grandi à Brescia dans le nord de l'Italie et, d'aussi loin que je me souvienne, j'ai toujours été attiré par les gars. Par contre, dans ma tête d'enfant, je pensais qu'un jour, je changerais : « J'ai 14 ans maintenant, je suis attiré par les gars, je m'amuse, mais à 18 ans, je vais changer. »

C'est un peu comme si j'avais mis mon réveille-matin à 18 ans et qu'à partir de ce moment-là, j'allais avoir une blonde comme tout le monde, me marier, avoir des enfants, une vie normale. Le problème, c'est qu'à 17 ans et demi, je n'avais plus le goût de changer. Je ne pouvais pas changer. Il fallait que je l'accepte et que j'en parle à quelqu'un.

J'ai commencé par mon meilleur ami Enrico : « Écoute, j'ai besoin de te confier quelque chose, je ne peux plus le garder pour moi. Tu es la personne dont je suis le plus proche, donc je dois te le dire : je suis gai. » Sa réaction ne s'est pas fait attendre :

« Écoute, tu étais chiant avant, tu l'es encore maintenant. Pour moi, pas de changement. »

Ma mère a pris plus de temps à réagir. Quand je le lui ai annoncé, elle est restée silencieuse, sans bouger, avec sa cuillère de crème glacée qui commençait à dégouliner… Puis, elle a parlé d'autre chose, comme si je n'avais rien dit. Deux jours plus tard, à ma grande surprise, c'est elle qui a rouvert le sujet : « On va voir un médecin. » J'ai pris mon courage à deux mains : « Écoute Maman, je ne suis pas malade, je n'ai pas la grippe, je suis exactement la même personne qu'il y a deux jours. C'est inutile d'aller chez le médecin. » Elle n'était pas très convaincue. Une autre période de silence a alors commencé, celle-là beaucoup plus longue puisqu'on n'a plus abordé la question pendant au moins quatre ans.

C'est seulement à mon retour du Canada qu'elle m'a posé des questions, parfois niaiseuses, du genre : « As-tu l'intention de devenir une fille ? » ou « As-tu déjà *touché* un autre gars ? »

Rassurée sur le fait que je ne voulais pas lui piquer ses jupes, elle avait de toute évidence besoin que je lui explique certaines choses. « Ce n'est pas parce que j'aime les gars que je me sens comme une fille. » Tout était nouveau pour elle.

Quand je suis revenu à Montréal en 2004, j'ai eu un chum d'origine mexicaine qui s'appelait Marco. On habitait ensemble dans un petit trois et demi. Quand ma mère venait à Montréal, elle habitait avec nous. Au début, elle était méfiante, mais elle et Marco sont rapidement devenus amis. Ils cuisinaient ensemble, jouaient aux cartes, ma mère l'adorait.

À ce jour, j'ignore encore comment ils communiquaient – ma mère parle seulement italien et Marco parlait espagnol et anglais – mais ils se comprenaient.

Quand Marco et moi on s'est quittés, ma mère n'était pas contente : « Tu as bien réfléchi à ce que tu fais ? Je ne pense pas. Marco, il est gentil, lui. Tu ne vas pas trouver facilement quelqu'un qui va supporter ton caractère de chien ! »

Et pendant que ma mère énumérait mes défauts en faisant l'éloge de mon ex, un grand sourire de reconnaissance se dessinait sur mon visage.

MASSIMILIANO ZANOLETTI, 38 ANS, HOMOSEXUEL

[**CHARLINE LABONTÉ**]

JE SUIS GARDIENNE DE BUT. J'AVAIS SEPT ANS QUAND J'AI COMMENCÉ À JOUER AU HOCKEY.

Comme tous mes coéquipiers, je rêvais de jouer pour le Canadien. Mon idole était Patrick Roy. Durant l'adolescence, j'ai eu des chums et j'étais bien heureuse. Je vivais dans ma bulle. Je ne me posais aucune question.

La première fois que j'ai rencontré quelqu'un de gai, je venais de passer au hockey féminin. Il y avait une joueuse de l'équipe nationale que j'admirais. Le jour où j'ai entendu dire qu'elle était gaie, je n'en revenais pas. J'avais des préjugés terribles. Je trouvais qu'elle n'avait pas «l'air» gaie. Je pensais : «Ben voyons, ça se peut pas. Elle est *normale*. Elle parle *normalement*. »

Je ne sais pas ce que j'avais en tête ni à quoi je m'attendais, mais le souvenir que j'ai, c'est que je trouvais ça *dommage*. Je me disais : «Ah, c'est plate pour elle ! » Je me souviens aussi de ce que j'avais pensé en voyant deux filles de l'équipe qui étaient en couple : «Ça se peut pas ! Elles sont tellement belles... » Bref, j'étais ignorante, complètement.

Heureusement, le hockey féminin est un milieu très ouvert par rapport à l'homosexualité, qui n'est pas un tabou. L'une parle de sa blonde, l'autre parle de son chum, c'est pareil. J'étais donc intriguée par les filles gaies qui m'entouraient, mais j'avais peur. J'étais presque homophobe... tout en étant curieuse. Je voyais que c'était du bon monde, qu'elles avaient du succès dans leurs études ou dans le sport. Elles ont été les modèles dont j'avais besoin pour commencer à allumer, pour voir quelque chose qui était en moi aussi.

Cela dit, mon père, qui avait des amis gais, nous répétait souvent, depuis qu'on était tout jeunes, de ne pas avoir de préjugés. Il nous a toujours dit, à mon frère et à moi: «Respectez les gens, respectez les homosexuels. C'est peut-être les meilleures personnes que vous allez rencontrer de toute votre vie.» Ça m'a marquée. Mais j'avais quand même de gros préjugés.

LES PREMIERS PAS

Une amie du hockey a remarqué que j'avais l'air de vouloir en savoir plus. Elle m'a lancé: «Sors avec nous dans les bars gais.» Je ne voulais rien savoir. Elle a insisté: «Qu'est-ce que ça fait? Toutes nos amies vont être là de toute façon. Ce sera comme si on était dans un bar hétéro.» J'avais tellement peur. Une vraie peur! Je ne voulais même pas aller aux toilettes toute seule.

Quand j'ai finalement accepté de les suivre, j'ai dit à cette amie: «Je ne veux pas *voir*. Je peux être là, mais je ne veux pas voir le monde s'embrasser.» C'était trop pour moi. Donc, elle m'a assise devant la fenêtre et m'amenait des *drinks* en permanence. Pour que je regarde dehors et que je ne voie pas ce qui se passait en dedans! J'étais vraiment ridicule, je l'avoue, mais je n'étais pas prête. J'avais peur de moi-même. Il y avait des étapes à franchir et la première, c'était d'être là. Les fois d'après, c'était correct. Je pouvais regarder, même si des filles s'embrassaient. Je trouvais ça spécial, je n'en avais jamais vu.

La première fois que je suis tombée en amour avec une fille, ça a vraiment fait une différence. Je me suis demandé si j'avais vraiment été en amour avec les gars que j'avais fréquentés auparavant. Là, j'avais le cœur

à l'envers, je n'étais pas capable de manger, pas capable de dormir. C'est vraiment à ce moment-là que j'ai compris. De tous les coming-outs que j'ai faits, le coming-out à moi-même aura été le plus dur à faire.

Après, je l'ai dit à ma meilleure amie. Elle le savait ; elle attendait juste que je lui en parle. Puis, environ un an plus tard, j'ai eu ma première blonde officielle. Ensuite, je l'ai annoncé à mes parents et à mon frère, qui ont bien réagi. Aujourd'hui, 10 ans plus tard, ça va très bien. Je suis en couple avec Anastasia Bucsis, une patineuse de vitesse qui fait aussi partie de l'équipe olympique canadienne. On veut se marier et fonder une famille.

LE COMING-OUT PUBLIC

À l'été 2013, la Russie venait d'adopter sa loi anti-gais et, évidemment, je n'étais pas d'accord avec ça. J'avais de bonnes chances d'aller à Sotchi et je savais que ce serait mes derniers Jeux. Je me suis fait la réflexion : « Je pense qu'il y a un temps pour chaque chose et pour bien faire les choses. Je vais donc aller aux Jeux olympiques en Russie, même s'il y a cette loi que je n'aime pas. Je vais y jouer mon meilleur hockey. Après les Jeux, ce sera le temps de faire quelque chose. »

On entend souvent dire qu'il y a beaucoup de gaies en hockey féminin. Pourtant, personne ne faisait de coming-out. On n'avait pas de modèles.

Je n'avais jamais pensé que ce serait moi qui ferais ça, mais j'étais arrivée à un point dans ma vie où je me sentais à l'aise avec qui j'étais. Je n'avais plus rien à cacher. Je me suis dit : « Pourquoi pas ! »

De plus, je ne sais pas pourquoi, mais cette année-là, j'ai compris quelque chose. Des gens me lançaient souvent : « Tu es *out*. Pourquoi tu ne le dis pas *pour vrai* ? » Je répondais : « Je n'ai pas besoin de le dire à personne, tout le monde le sait de toute façon. »

Un jour, je me suis rendu compte que ce n'était pas pour moi que je devais le faire, c'était pour les autres. Pour pouvoir dire : « Moi, Charline Labonté, je suis *out* et c'est correct de l'être. Et toi, la petite de 18 ans qui a de la misère à en parler à tes parents, ben vas-y, c'est correct, je suis passée par là moi aussi. »

J'espérais pouvoir aider au moins deux ou trois personnes. Mais je ne sais pas combien de centaines de courriels j'ai reçus d'un peu partout, de France et des États-Unis. Des remerciements et des confidences de jeunes, surtout des jeunes filles, qui me racontaient : « Ça fait trois ans que j'essaie de le dire à mes parents. Je ne suis pas capable. Mais j'ai lu ta lettre sur Internet et ce soir, au souper, je l'annonce. » Je me souviens d'une femme qui m'a écrit : « Ma grand-mère m'a appelée aujourd'hui pour me dire : "Bon, là c'est assez, on le sait que tu es gaie. Tu peux nous en parler, on t'aime." »

Il y a eu plein d'histoires comme ça. J'ai pensé : « Wow ! Ça valait la peine. » Je ne savais pas à quoi m'attendre. J'avais un peu peur, mais il fallait que je le fasse. Mon but, c'était simplement de donner une lueur d'espoir : « OK, on est un peu différents de ce à quoi la société s'attend, mais c'est correct. Tu peux être gaie, aller aux Jeux olympiques et gagner des médailles d'or. Tu peux être gaie et devenir médecin si ça te tente. Tu peux tout faire ! »

CHARLINE LABONTÉ, 32 ANS, GAIE

Tout au long de mon secondaire, je portais le fait d'être gai comme un fardeau, comme un secret honteux. Je ne me sentais pas normal. J'étais seul au monde ou, du moins, j'étais certain que j'étais le seul gai dans toute la polyvalente !

À la fin des années 70, notre seul modèle était le personnage de Christian Lalancette dans *Chez Denise*. C'était un coiffeur très caricatural, très exubérant, mais ce n'était pas dit clairement qu'il était homosexuel. C'était sous-entendu parce que tous les stéréotypes étaient là. Je ne voulais pas être identifié à lui. Il faisait rire les gens, mais moi je ne trouvais pas ça drôle. Ça m'affectait de voir un personnage comme lui à la télé. Ce n'était pas clair si les gens riaient de lui ou avec lui. Je riais aussi, mais je riais jaune. Je me disais : « Je ne veux pas être comme ça. »

Durant cette période-là, je me sentais un peu comme Zac dans le film *C.R.A.Z.Y.* quand il finit par s'apercevoir qu'il est homosexuel. Il répétait une sorte de petite prière : « Faites que ça soit pas ça ! Faites que ça soit pas ça ! » Je n'étais pas pratiquant du tout, mais j'ai dû faire la même chose. Je me disais : « Tout d'un coup que Quelqu'un existe quelque part, je vais avoir une petite pensée… » Mais vers qui ? Je ne le savais pas. Je demandais ça à l'Univers.

Étonnamment, il y a un lien entre cette période plutôt sombre de ma vie et le métier que je fais aujourd'hui. Et je ne suis pas sexologue ou psychologue : je suis pâtissier-traiteur !

Quand j'étais au cégep, mon amie d'enfance et voisine d'en face étudiait à l'Institut d'hôtellerie du Québec, l'ITHQ, et elle me parlait de ce qui se passait dans ses cours. Moi, j'étudiais en administration. Elle me disait à quel point c'était le fun et qu'il y avait *tellement* d'homosexuels dans ses cours de cuisine. J'ai pensé : « Ah ? Intéressant ! Je ne serais donc pas le seul… » Elle ne savait pas que j'étais gai, donc ce n'était pas pour me faire plaisir qu'elle m'en parlait. C'était seulement parce qu'elle était surprise que ça soit aussi clairement affiché.

Soudainement, je trouvais que ça avait l'air ben le fun cette école-là. Le problème, c'est que je n'avais jamais vraiment cuisiné. Ma mère n'était pas une grande cuisinière non plus. Si je faisais un gâteau, c'était avec un mélange Duncan Hines. Mon amie avait toujours fait des gâteaux avec une recette, des ingrédients mesurés et tout le reste. Moi, j'ouvrais la boîte, je mélangeais avec de l'eau et je trouvais que mon gâteau était meilleur que le sien. Pour elle, c'était un bon choix de carrière. Pour moi, l'intérêt était ailleurs...

Je me suis inscrit à l'ITHQ et j'ai obtenu mon diplôme en pâtisserie-boulangerie.

J'ai fait mon coming-out après ma première année. Évidemment, être entouré de gais n'a pas tout réglé, mais ça m'a permis de faire un pas en avant dans l'acceptation de mon homosexualité. Je n'étais plus seul.

En prime, ça m'a donné un métier que j'aime et c'est même par l'intermédiaire de mon entreprise, Grand-papa Gâteau, que j'ai connu le GRIS-Montréal, qui avait besoin d'un service de traiteur gratuit. Un organisme comme le GRIS m'aurait épargné bien des angoisses s'il était venu dans mon école secondaire. J'ai dit oui. J'appelle ça «donner au suivant».

DANIEL DUROCHER, 52 ANS, GAI

TEEN BEAT

Joey Gordon-Levitt

**J'**ai souffert de ne pas avoir de modèle de lesbiennes. De ne pas pouvoir me dire : «Ah? Elle, elle est lesbienne, donc je pourrais l'être moi aussi.» C'est ce qui a vraiment ralenti mon processus de coming-out.

Au secondaire, en plus, mes murs de chambre étaient couverts de *posters* de gars. Joseph Gordon-Levitt, Jonathan Taylor Thomas et, surtout, les **Backstreet Boys!** Pour moi, à 11 ans, c'était la fin du monde. Et Brian, c'était l'homme de ma vie. Je voulais me marier avec lui. J'étais une fan finie, je les aurais suivis n'importe où. Donc, **je ne pouvais pas être lesbienne!**

En même temps, je regardais le film *Gia, femme de rêve* avec Angelina Jolie. La séance photo nue où elle *frenche* une fille à travers une clôture... Je ne savais pas pourquoi j'aimais cette scène, mais mon Dieu que je l'ai regardée souvent!

Au cégep, j'ai eu un coup de foudre d'amitié avec une fille. On passait nos journées et nos soirées ensemble. On s'écrivait des déclarations d'amitié pour se dire à quel point on s'aimait, mais en précisant toujours que ce n'était pas sexuel. Un soir, on a pris un verre ensemble, elle et moi. Puis, un autre... Mon amie m'a *frenchée*. J'ai pensé : «Yark! Mais je n'ai pas envie que tu t'arrêtes.» On n'est pas allées plus loin. On a continué à jaser, puis on s'est endormies. Le lendemain matin, elle m'a dit qu'elle ne voulait plus me parler. C'était la fin de notre amitié. J'ai pleuré toutes les larmes de mon corps, comme s'il s'agissait d'une vraie séparation. J'avais le cœur brisé.

Après ça, je me suis dit : « Ne refais pas ça, *frencher* tes amies de fille. Si tu ressens quelque chose de vraiment intense pour une amie, tiens ça mort ! »

Mais j'ai recommencé.

Quand je suis arrivée à Montréal, je n'étais toujours pas fixée quant à mon orientation sexuelle, même si j'avais *frenché* plusieurs filles. J'ai travaillé dans une boutique à la Place Versailles. L'assistante-gérante s'identifiait comme «lesbienne» et avait une «blonde». C'était la première fois de ma vie que je voyais cette espèce-là exister. Je trouvais ça beau. En fait, je savais que ça existait, mais j'avais beaucoup de préjugés.

Celle qui m'a finalement fait dire : «Ah oui, je suis vraiment lesbienne!» c'est Josianne. Quand je l'ai rencontrée, ça m'a foutue à l'envers. Le *boost* d'adrénaline, les frissons. Je serais montée en haut du mont Royal pour crier à tout le monde que j'étais en amour avec elle. Ça a été un vrai coup de foudre. Elle était infirmière, hyper intéressante, passionnée de la vie, sportive, un peu plein air. Elle aimait faire du yoga, buvait du thé, mangeait végé, elle était merveilleuse.

GABRIELLE PICARD, 31 ANS, LESBIENNE

Vers la fin du primaire, mes amis commençaient à avoir des blondes et des chums. Ils me demandaient : « Toi, tu veux sortir avec qui ? Qui as-tu envie d'embrasser ? » Dans ma tête, je savais que je n'avais pas envie d'embrasser une fille. C'est plutôt le chum d'une de mes très bonnes amies que je voulais embrasser. J'étais vraiment jaloux d'elle.

C'est un peu comme ça que je me suis rendu compte que j'étais gai. Je n'ai pas eu de grand questionnement – suis-je gai ou pas ? – j'ai juste compris que j'étais attiré par les gars, que c'était un sentiment merveilleux et que ça me tentait d'avoir un chum moi aussi. Le seul problème, c'était *comment* j'allais le dire à quelqu'un.

Je ne voulais pas devenir hétérosexuel, mais je rêvais de pouvoir couper tous mes liens avec les gens que je connaissais pour ne pas avoir à leur apprendre que j'étais gai.

J'aurais voulu être propulsé d'un coup dans un monde où j'étais gai et où tout le monde le savait sans devoir faire de coming-out à personne. Ce scénario idéal était possible dans les romans de science-fiction ou les bandes dessinées que je lisais déjà en grande quantité. Mais dans la réalité, j'étais loin d'être l'ami gai avec qui Spirou et Fantasio partiraient à l'aventure…

Finalement, j'ai dû me résoudre à faire comme tout le monde et à l'annoncer officiellement. Mais j'ai attendu de trouver le bon moment ! Un jour, dans mon cours d'enseignement religieux en secondaire 4, il y a eu un débat sur l'adoption par les couples homosexuels. J'ai levé ma main et j'ai commencé en disant : « Ma réponse va être teintée par le fait que je suis gai… » Cinq minutes après la fin du cours, toute l'école était au courant. Et sans le savoir, j'avais trouvé la meilleure façon d'être propulsé dans le scénario auquel j'avais rêvé durant mon enfance !

OLIVIER VALLERAND, 33 ANS, GAI

Je suis avec Marie-Andrée depuis 12 ans, mais j'ai aussi deux autres amours : mes deux fils, Francis et Marc-André, qui ont aujourd'hui 29 ans et 20 ans.

J'ai commencé à fréquenter Marie-Andrée en mars 2003. Je l'ai présentée à Francis, alors âgé de 17 ans, comme une amie. Il l'a ensuite revue une ou deux fois. L'été suivant, il commençait à travailler dans un camp d'été.

Tout l'été, aucune journée ne s'est passée sans que j'y pense, sans que j'essaie de trouver la formule miracle qui ferait en sorte que l'annonce se passerait bien. Je venais de rencontrer l'amour de ma vie, mais perdre l'amour de mes enfants, n'avait pas plus de sens pour moi. J'aurais pu sacrifier ma vie pour que mes enfants soient heureux. Tous les soirs, je me disais : « Ça va être ce soir ! » puis je revirais de bord. J'avais tellement peur d'annoncer à Francis que j'étais lesbienne. S'il réagissait mal, je ne pourrais pas lui dire : « Ben non, c'est une *joke* ! » Ce serait fini.

J'avais l'impression que, dès l'instant où les mots sortiraient de ma bouche, la planète ferait un 360 et plus rien ne serait comme avant. C'était vraiment paniquant.

Un soir, j'étais seule avec Francis. Marie-Andrée donnait un cours à Matane. Après le souper, j'ai dit à Francis :

« J'ai quelque chose d'important à te dire qui me concerne. »

Au moment où j'ai prononcé ces paroles-là, j'ai senti le poids du monde sur mes épaules. C'était terrible ! Francis m'a répondu : « Tu t'es fait un chum. »

Tout pour m'aider ! J'ai repensé à tous ceux qui m'affirmaient que Francis devait s'en douter. Mais il ne se doutait de rien.

« Non.

— T'es sur le bord de t'en faire un ?

— Non. »

Puis, soudainement, il me regarde et me dit : « T'es avec Marie-Andrée ! »

Sur le coup, je n'ai pas été capable de parler. Je me suis mise à pleurer, pleurer, pleurer.

« M'man... »

Je ne pouvais plus bouger, je ne pouvais plus rien faire. Je faisais juste pleurer. Il s'est levé, il est venu me prendre dans ses bras. Il m'a serrée fort, je pleurais encore.

« M'man, depuis que je suis tout petit, tu me casses les oreilles en me répétant que le plus important dans la vie, c'est d'être soi-même et d'être bien. La seule personne qui ne le fait pas, c'est toi. Et je voudrais que tu commences aujourd'hui. »

Je ne peux pas décrire l'état dans lequel j'étais. Je me souviens d'avoir pensé : « Mon Dieu, qu'il est bien élevé cet enfant-là ! »

Au cours de la semaine suivante, il est revenu à la maison en m'annonçant que tous ses amis étaient au courant.

« Il y a juste le gérant chez McDo qui ne me croit pas, mais c'est pas important.

— T'as dit ça au gérant du McDo ?

– Oui. Et j'ai dit à mes amis : " Ma mère est lesbienne et si ça fait pas votre affaire, ben… *out* ! " »

Il a dit ça, comme ça. Moi, ça fait 43 ans que je me démène, ça fait six mois que je cherche comment ne pas perdre mon fils et lui, c'est réglé en quelques jours avec tout son monde. Wow !

À ce moment-là, Marc-André, mon plus jeune dont j'avais la garde partagée avec son père, avait huit ans. Je ne voulais pas lui apprendre tout de suite. Il croyait que Marie-Andrée était une amie et, comme elle vivait à Québec, il ne la voyait pas souvent.

Mais l'année suivante, elle a emménagé chez nous. Marc-André ne savait toujours rien. Marie-Andrée dormait pourtant dans la même chambre que moi et on passait tout notre temps ensemble. On allait voir Marc-André jouer au football. Marie-Andrée allait parfois le chercher à l'école. On faisait tout comme les autres couples, sauf une chose : on ne s'embrassait jamais devant lui.

Marc-André, qui était maintenant âgé de 10 ans, ne posait aucune question, mais il y avait un problème : Marie-Andrée et moi, on allait se marier.

Un prêtre avait accepté de nous unir dans son église, mais il voulait d'abord rencontrer ma mère pour la convaincre de venir au mariage. Elle n'était pas d'accord que je sois lesbienne, encore moins que je me marie avec une femme. Le prêtre avait proposé de la rencontrer chez moi. « On va prendre un café et on va jaser. Ça n'a pas de bon sens qu'elle n'assiste pas à ton mariage. » Sauf que Marc-André, à qui je n'avais toujours rien dit, ne pouvait pas rester à la maison et entendre la conversation. Je lui ai donc annoncé qu'il se ferait garder ce soir-là. Il s'est mis à pleurer : « Comment ça, je vais me faire garder ? Tu me gâches tout, tout le temps ! Je voulais inviter des amis demain parce que je suis en pédagogique et là, tu me gâches toute ma vie ! »

Oui, oui, « toute sa vie ». C'est exactement ce qu'il a dit. À ce moment-là, je m'en suis voulu de ne pas lui avoir tout expliqué deux ans plus tôt. « Viens en haut, faut que je te parle. »

Arrivés à l'étage, il pleurait encore.

«Est-ce que tu penses que Maman aime Marie-Andrée comme une amie ou comme une amoureuse?

— Je le sais-tu, moi?

— Maman aime Marie-Andrée comme une amoureuse. On s'aime tellement qu'on veut se marier, mais Mamie n'est pas d'accord avec ça.

— Pourquoi?

— Parce qu'on est deux femmes.

— Ah…

— Là, il y a un prêtre qui vient rencontrer Mamie ce soir pour qu'elle accepte d'être présente au mariage. Et comme je ne t'avais parlé de rien, je voulais te faire garder.

— Ouais, mais à c't'heure que je le sais, je peux-tu inviter mes amis?»

Ça faisait deux ans que je me cassais la tête, que j'avais peur de le perdre. Et ça a abouti comme ça. Je n'en revenais pas! Je ne l'ai pas fait garder. Il a invité ses amis, et ils ont joué dans le sous-sol. De temps en temps, il montait, écoutait un bout, sans grand intérêt. Il redescendait. *That's it!*

Un peu plus tard, il m'a demandé de ne pas marcher main dans la main avec Marie-Andrée dans les rues aux alentours parce que ses amis étaient là. «C'est pas que ça me dérange, moi, mais je ne veux pas me faire écœurer et je ne sais pas quoi leur répondre.» Il n'avait que 10 ans après tout. J'étais d'accord. Il avait aussi un rituel. Quand des amis venaient à la maison, il cachait les photos de Marie-Andrée et moi qui se trouvaient au-dessus du foyer et sur le frigo. Dès que les amis repartaient, il remettait les photos en place. Il ne m'a jamais demandé de les retirer. J'imagine qu'il ne voulait pas me faire de peine. Je ne le voyais pas toujours les enlever, mais je voyais qu'elles n'étaient plus là. Il a fait ça pendant plusieurs années.

Vers l'âge de 14 ans, il a arrêté de le faire. Quand il a eu 15 ans, son père m'a appelée un jour — on a une très bonne relation — : «Je veux te parler de quelque chose. On ne s'est jamais mêlé de la vie privée de l'un ou de l'autre. Alors, ce que je te dis, tu en fais ce que tu veux. Marc-André m'a confié qu'il a parfois l'impression de vous déranger quand il est chez vous. Il dit que chez nous, quand j'embrasse ma blonde et qu'il arrive, on continue de s'embrasser sans lui faire sentir qu'il dérange. Mais quand il vous surprend Marie-Andrée et toi en train de vous embrasser, vous vous arrêtez. Il a l'impression d'être de trop.»

Méchante leçon! Ce soir-là, j'ai dit à Marc-André: «Tu ne nous déranges pas et tu n'es certainement pas de trop. J'avais juste peur que tu n'aimes pas me voir embrasser Marie-Andrée vu que tu m'avais déjà demandé de ne pas lui tenir la main à l'extérieur. C'est difficile pour moi de faire la différence entre ce qu'il est possible de faire et de ne pas faire.» Il m'a répondu: «Je veux que tu fasses exactement ce que Papa fait avec Charlène.» Message reçu. À partir de ce moment-là, on était libres.

Quand je repense à tous ces événements, je suis émue de constater que ce sont mes gars qui m'ont fait avancer le plus.

JOCELYNE HÉTU, 55 ANS, LESBIENNE

Aujourd'hui je fais ça : j'embrasse mes amis gais partout où je les croise, comme je le ferais si je les voyais chez eux ou dans le Village.

Je ne l'aurais pas fait il y a 10 ans. À cette époque, je voyais des amis gais dans l'entrée à Radio-Canada et je leur serrais la main. Maintenant, je les embrasse sur les deux joues. J'ai arrêté de me censurer à cet égard. Je trouvais ça trop ridicule. Le malaise ne venait pas du fait qu'on s'embrassait, mais plutôt qu'on se forçait à se serrer la main. Je ne me souviens pas de la date exacte où j'ai décidé de changer ma façon de faire, mais c'est arrivé avant mon coming-out public.

Ce qui est comique, c'est qu'on finit par oublier que les hommes ne s'embrassent pas entre eux au Québec. Il m'arrive parfois de m'avancer pour embrasser des amis hétéros, simplement par habitude. Mais je me garde une petite gêne avec le maire !

PHILIPPE SCHNOBB, 50 ANS, GAI

La quête d'être.

je ne peux m'empêcher d'écrire
ce que je ne peux te verbaliser.

L'intensité de la passion,
fut difficile à décrire, quand
j'ai ressenti toute la profondeur
des sentiments que tu m'as
fait renaître, d'une période
de ma vie. Et ce autant dans
ton écriture que dans ton jeu
d'acteur. Quel privilège d'avoir
revécu, pour comprendre, de
m'être pardonner. Merci. Xavier.

Au sujet de l'homosexualité, je reçois des milliers de messages. Sur Twitter, à l'agence, sur Instagram. Pour *J'ai tué ma mère* en particulier. À cause de la relation qu'a le personnage principal avec sa mère et parce que c'est un coming-out. Mais pour *Les amours imaginaires* et *Laurence* aussi, j'en ai reçu beaucoup.

Un jour, j'ai reçu une lettre écrite à la main. C'était par rapport à *J'ai tué ma mère*. Un gars l'avait glissée dans ma poche lors d'une première sans que je m'en aperçoive. J'aurais voulu lui parler, mais il n'a pas laissé de numéro de téléphone. Une lettre bouleversante, très courte en plus. J'ai trouvé ça tellement beau. Je l'avais lue à ma mère et elle avait éclaté en sanglots. Les films, ça fait ça, c'est le fun.

Je travaille dans une industrie où on dépense beaucoup d'argent pour divertir les gens. Mais avec tout ce qui se passe dans le monde, on peut parfois se sentir un peu mal de ça. Alors, quand il y a des témoignages, quand il reste quelque chose, que le film survit à sa durée péremptoire, je trouve ça encourageant. Pas encourageant, inspirant. C'est même euphorisant! Il y a tellement de films que l'on voit et qu'on oublie immédiatement. On s'en câlice et on les oublie à tout jamais.

Tu espères seulement que ce ne sont pas les films que tu fais.

XAVIER DOLAN, 26 ANS, GAI

[D A V I D   T E S T O]

Durant mon enfance, dès que j'ai commencé à avoir des désirs sexuels, c'était pour des gars. Pour moi, c'était naturel. Je n'ai jamais remis ça en question. Je ne savais pas comment ça s'appelait, mais je savais que je n'étais pas attiré par les filles. Pourtant, la société voulait que je le sois. Quand j'ai compris ça, la confusion s'est installée. Vers 12 ou 13 ans, j'ai commencé à remarquer que les gars se parlaient des filles entre eux. Ils étaient vraiment intéressés par elles. Moi, j'étais vraiment intéressé par eux.

Je viens de la Caroline du Nord, aux États-Unis. Là-bas, notre éducation repose sur l'image d'un homme et d'une femme qui se marient, ont des enfants et un style de vie traditionnel.

À un moment donné, c'est devenu clair : ce que je souhaitais pour moi-même ne serait pas possible. Ça me faisait mal et ça me faisait peur : je ne voyais aucune façon de m'en sortir. Comment allais-je vivre sans pouvoir être la personne que j'étais réellement ?

Quand j'ai compris que je ne pourrais rien y changer, j'ai essayé de me protéger jusqu'à ce que je trouve une sortie de secours. De 13 à 19 ans, j'étais donc le joueur de soccer athlétique qui sortait avec des petites princesses de l'équipe de *cheerleaders*. J'ai fait tout ce que je pouvais pour jouer ce rôle-là le mieux possible. C'était ce qu'on attendait de moi et c'était le meilleur moyen de passer inaperçu.

Au secondaire, je faisais partie de l'association des athlètes chrétiens. Je sortais avec des chrétiennes. J'allais régulièrement à l'église. Si aujourd'hui on fouillait dans les vieilles boîtes que j'ai laissées chez ma mère, on trouverait des tonnes de versions de la Bible. Il y avait des photos de Jésus sur un mur de ma chambre! Cela dit, je me souviens qu'en lisant la Bible, je remettais toujours en question les choses qui n'avaient pas de bon sens à mes yeux. Jusqu'à ce que j'entre à l'université je pensais: «Comment puis-je croire à ça? Comment puis-je vivre ma vie et consacrer tout mon être à ce livre-là?»

C'est seulement après avoir changé d'université et d'État que j'ai commencé à être moi-même. Je pouvais enfin explorer ma sexualité loin du regard de ceux qui m'avaient connu dans ma ville natale. C'est là que j'ai rencontré le premier gars que j'ai fréquenté.

Cependant, tout a vraiment changé pour moi quand j'ai été recruté par les Whitecaps, le club de soccer professionnel de Vancouver, et que je suis déménagé au Canada. Ma vie n'aurait jamais été la même si je m'étais retrouvé au Texas, par exemple. Impossible! À Vancouver, il y a une énergie différente des États-Unis et du reste du monde. C'est une ville très ouverte; on y trouve une communauté gaie importante.

Je m'y suis senti à l'aise dès le début. Je me protégeais encore, mais une foule de changements se préparaient pour moi.

Mes coéquipiers ont joué un grand rôle là-dedans. La plupart d'entre eux venaient de Vancouver. Ils disaient ouvertement à quel point ils n'avaient aucun problème avec mon orientation sexuelle; ils m'acceptaient tel que j'étais. On a gagné le championnat ensemble. On formait une équipe tissée très serrée.

J'ai aussi rencontré une femme qui écrivait des livres pour enfants, mais elle sacrait comme un bûcheron et avait l'air d'une sorcière. Elle m'a parlé du bouddhisme et de ce qu'elle appelait les «merveilles du monde». Un soir, elle m'a demandé de m'asseoir: «Écoute *puppy*, veux-tu vraiment ouvrir cette boîte-là?

Une fois que tu l'auras ouverte, tu ne pourras plus jamais la refermer. » J'ai répondu : « OK, on l'ouvre ! »

À partir de ce moment-là, elle est littéralement devenue comme une espèce de mentor pour moi. Elle a vraiment transformé ma façon de voir le monde, comme le Canada l'a fait, les voyages et plein de nouvelles personnes que j'ai rencontrées. Mais c'est elle qui a provoqué ce revirement dans ma vie.

Elle m'appelait « la petite sauterelle ». Elle disait : « En ce moment, tu es comme une petite sauterelle, mais un jour, tu vas devenir un beau papillon. » Et c'est exactement ce qui se passait. J'étais en train d'apprendre qui j'étais et de devenir qui je suis aujourd'hui.

Depuis ce temps-là, les choses ont changé en Caroline du Nord. Ma mère m'a appelé aujourd'hui, tout excitée : « Qu'est-ce que tu fais ? Ils sont en train de reconnaître le mariage gai. Tu peux revenir ! »

Elle disait ça parce que je lui ai toujours dit : « Maman, tant que je n'aurai pas les mêmes droits que toi, les mêmes lois et la même justice que toi, je ne reviendrai pas. Je ne reviendrai jamais. » Et là, elle m'appelait pour me dire : « Reviens à la maison. La loi va passer, c'est certain à 99 %. » Elle était vraiment heureuse de me dire ça, et fière aussi de la Caroline du Nord.

J'étais content moi aussi que l'État d'où je viens autorise le mariage gai, mais j'étais surtout touché du fait que ma mère me l'annonçait. Je me suis mis à pleurer, j'en avais des frissons dans le dos. Je n'avais jamais pensé qu'une telle chose arriverait un jour.

Si je retournais chez moi à Noël, ma famille pourrait encore me juger, mais la loi me protégerait. Maintenant, je me sens en sécurité. J'ai le droit de dire : « Je ne crois pas à la Bible, mais vous devez quand même me respecter. J'ai maintenant les mêmes droits que vous. »

La famille du frère de mon père prie encore pour que je ne sois plus gai. *They pray the gay away*, comme on dit chez nous. Ils vivent loin en région. Et ce qui est drôle, c'est que le plus jeune fils de ma cousine est un joueur de soccer exceptionnel. Il est encore très jeune, et ils l'élèvent pour qu'il suive mes traces. Seulement, comme je suis gai, ils ont peur de maintenir la connexion entre lui et moi. Puis, de temps en temps, ils m'envoient un courriel pour me dire : « On prie pour toi. »

Ils suivent les principes de la Bible de façon très stricte. Selon eux, si tu es gai, tu vas aller en enfer. Ils ne sont jamais sortis de la Caroline du Nord ou des États-Unis, donc ils n'ont jamais vu comment les choses se passent ailleurs dans le monde. Je ne les blâme pas de penser comme ça. C'est juste que pour moi, ça n'a aucun sens. Tout ce que je sais, c'est que maintenant, quand je vais aller voir ma mère, ils ne pourront pas me traiter différemment des autres. C'est écrit dans les lois de l'État.

Le fils de ma cousine est vraiment un excellent joueur de soccer. Je suis un peu son idole, mais il ne sait pas encore que je suis gai. Quand il l'apprendra, ça va être génial! Ma cousine a d'autres enfants aussi. J'espère seulement que l'un d'entre eux sera gai. Juste un.

Pourquoi? Tout simplement parce qu'il y a encore beaucoup de gens qui pensent que c'est un choix. Quand ils s'aperçoivent que leur cousin ou leur frère est gai, ou que leur nièce est lesbienne, ils se mettent à changer, et ce, simplement parce qu'ils connaissent quelqu'un qui est homosexuel. Je me dis: si l'un de leurs enfants est gai, ils n'auront pas d'autre choix que de l'aimer.

Moi, ils m'apprécient «à distance». Ils m'aiment, ils prient pour moi, ils me souhaitent le meilleur, mais je ne suis pas leur enfant. Je pense que ma mère a changé parce que je suis son fils. Je suis convaincu que c'est ce lien qui fait changer plein de gens.

Plus on normalise l'homosexualité et plus on en parle, moins il y aura de discrimination. Et moins on en fait un secret, moins les gens ont à se cacher, plus ça pourra se normaliser. Selon moi, un secret empêche l'énergie de passer. Dès qu'on s'en libère, il ne produit plus rien de négatif. Seulement une énergie nouvelle, prête à grandir.

DAVID TESTO, 33 ANS, GAI

Vers la fin de mon primaire, ma sœur,
qui a quatre ans de plus que moi, m'a lancé :

« LAURENCE, JE PENSE QUE T'ES GAIE. »

Elle est venue m'annoncer ça avec sa meilleure amie,
probablement après en avoir parlé entre elles. À 10 ans,
je ne savais même pas ce qu'était la sexualité, encore
moins l'homosexualité. Je n'avais aucune attirance
pour un sexe ou pour l'autre. Et là, ma sœur me lance :
« Tu es lesbienne. » Sur le coup, j'étais un peu insultée.
Premièrement : pourquoi ma sœur saurait-elle mieux
que moi qui je suis ? Et deuxièmement, comment
pourrais-je le savoir moi-même ?

Durant mon secondaire, certains gars m'ont intéressée,
mais ça se passait davantage dans ma tête que dans
mon corps. J'en ai fréquenté quelques-uns, mais ça ne
durait jamais très longtemps. Je n'avais pas envie de
pousser plus loin.

La première fois où j'ai ressenti une attirance physique pour une fille, c'était avec Myriam. Je l'ai connue vers la fin du secondaire, alors qu'on jouait l'une contre l'autre au badminton. Pendant la deuxième année du cégep, on est devenues partenaires de double. C'est à ce moment-là que mon attirance pour elle s'est développée à travers plein de petites choses. Elle avait de gros cheveux roux épais qui me faisaient triper. J'avais toujours envie de me plonger la face dedans, de sentir leur odeur de shampoing. Elle avait aussi une manière de se placer en réception de service au badminton. Par réflexe, elle levait son gilet au-dessus de son short et je voyais un peu son ventre. Je l'avais remarqué. Et j'aimais ça !
Ma sœur avait-elle vu juste, finalement ?

Détail important : Myriam n'était pas lesbienne. Enfin, pas à ma connaissance. Ma chance, c'est qu'elle couchait souvent chez moi parce que j'habitais à côté du cégep. Un lendemain de party d'Halloween, on s'est surprises à s'embrasser et à ne plus vouloir s'arrêter… C'était sa première fois avec une fille. Moi aussi. Et ça a été foudroyant !

Trois mois après le début de notre relation, ça se passait bien, j'étais très amoureuse. Durant un souper de famille, ma sœur – toujours elle ! – m'a posé des questions : « Coudonc, Laurence, depuis trois mois, tu as l'air un peu dans les nuages. Est-ce qu'il se passe quelque chose ? Tu as l'air comme trop heureuse. » C'était le moment d'en parler. De toute façon, ce que je vivais était beau et valait la peine d'être partagé. Je me suis lancée : « C'est drôle que tu me demandes ça, je suis justement en amour depuis deux ou trois mois. » Elle a répondu : « Ah oui, comment ça qu'on ne l'a pas su ? » Ma mère : « Je le sais c'est qui. C'est le beau grand du party de l'autre fois. » « Non, c'est pas lui, désolée. » Ma sœur s'est essayée avec un autre gars. Puis j'ai dit : « Non… c'est Myriam ! »

Je m'attendais à un « Je te l'avais dit » de ma sœur. Elle était plutôt bouche bée, incapable de parler. Elle a fini par dégeler : « Je ne l'aurais jamais cru. J'ai du monde gai dans mes équipes sportives, mais je n'aurais jamais imaginé que tu étais gaie. » Je lui ai rappelé ce qu'elle m'avait dit quand on était plus jeunes. Elle s'en souvenait à peine.

Morale de cette histoire : ma sœur a su avant moi que j'étais lesbienne quand j'avais 10 ans et, 8 ans plus tard, c'est elle qui a senti avant tout le monde que j'étais en amour. Le jour où je serai enceinte, je m'attends à ce qu'elle soit la première à le deviner !

LAURENCE TANGUAY BEAUDOIN, 27 ANS, LESBIENNE

J'ai toujours été lesbienne, mais je ne l'ai pas toujours su. À l'âge de 11 ou 12 ans, j'avais un chum que j'aimais beaucoup. On commençait tous les deux à avoir une curiosité sexuelle. On s'embrassait et découvrait le corps de l'autre.

Un jour, j'ai eu l'occasion d'aller plus loin et je me suis sentie freiner. Comme si, finalement, ça ne me tentait pas tant que ça. J'ai trouvé ça bizarre parce qu'on était très proches, je le trouvais beau et je me sentais prête à explorer ça, mais il y avait quelque chose qui m'en empêchait.

Quelques mois après, une amie m'a parlé de l'émission *The L Word* qui commençait en français à ARTV. J'ai regardé le premier épisode qui durait deux heures et là, j'ai été *flabbergastée* !

Je ne comprenais plus rien de ce qui se passait en mon moi-même. J'étais crampée, je braillais, j'étais excitée, je ne m'étais jamais sentie autant concernée par quelque chose de toute ma vie.

Ça a été comme une révélation. Je ne me suis pas dit : « Ça y est, t'es lesbienne », mais juste « *Oh shit !* Là, il se passe de quoi. »

Chaque semaine, j'écoutais ça religieusement et il n'y avait rien qui pouvait me faire manquer mon épisode. Je capotais là-dessus. Jusqu'au jour où, concrètement, c'est arrivé dans ma vie. J'ai rencontré l'amie d'une amie du secondaire et là, j'ai vécu le coup de foudre total. Elle était lesbienne. Elle était en couple, et je le savais. Mais je suis tombée en amour solide avec elle et je le lui ai dit. Je n'étais pas capable de garder ça en dedans. Je lui ai même écrit une chanson – quand j'y repense, ça me gêne de le raconter – mais il fallait que ça sorte !

Elle a dit : « C'est ben touchant tout ça, continue d'écrire des chansons, mais moi, je suis bien avec ma blonde. » C'est cet événement-là qui m'a amenée à arrêter de me poser des questions. Si ce n'était pas elle, je savais que ça allait en être une autre. Aujourd'hui, presque 10 ans plus tard, je peux confirmer que c'est vraiment comme ça que je l'ai su : un coup de foudre pour *The L Word* et un autre pour une lesbienne en chair et en os.

MARIE-PHILIPPE THIBAULT-DESBIENS, 25 ANS, LESBIENNE

Autour de l'an 2000, quand je suis devenu associé chez McCarthy **Tétrault,** j'ai vécu mon premier *At home dinner*. Habituellement, le bureau offrait un grand souper qui réunissait quelque 200 avocats accompagnés. Cette année-là, les organisateurs avaient eu l'idée de tenir un événement plus intime en demandant à 25 associés d'accueillir chacun 20 personnes chez eux.

Ça se faisait dans la même ville, le même samedi soir. Chaque avocat recevait personnellement une invitation de la part de l'associé chez qui il allait passer la soirée. On mélangeait les gens de façon à ce que tout le monde apprenne à se connaître et que les amis ne se retrouvent pas tous ensemble. Une excellente idée!

J'ai été invité chez quelqu'un que je connaissais peu: un associé prestigieux et sa femme, également avocate renommée, tous les deux beaux, riches, impression-nants. Tout le monde savait que j'étais gai. L'invitation était donc pour moi et mon chum de l'époque, avec qui je partageais ma vie depuis déjà plusieurs années. Ah que j'étais nerveux! J'ai dû lui demander de changer de chemise quatre fois. Finalement, on y est allés et ça a été une super soirée!

Quand les gens commençaient à s'en aller, nos hôtes nous ont dit: «Il est de bonne heure. Vous devez partir, vous deux? Restez donc. La soirée est encore jeune!» On est restés.

Plus tard, j'ai osé aborder la question:
«Robert, dis-moi, comment ai-je abouti parmi tes invités?
— Parce que je t'ai choisi!
— Est-ce que je peux te demander pourquoi?
— Bien sûr! Tout simplement parce que je te trouve intéressant. Je me disais que si ton chum était un tant soit peu comme toi, il fallait absolument que je vous invite à mon party!»

Je n'ai rien répondu, mais j'avais visiblement l'air soulagé. Et touché. Il a continué:
«Peux-tu maintenant m'expliquer pourquoi tu sembles surpris de mon choix?
— Je sais que c'est peut-être stupide de ma part, mais j'étais un peu inquiet à l'idée

de venir chez vous parce que j'ignorais comment tu allais réagir devant mon chum et moi. Je ne savais pas à quel point tu étais à l'aise avec tout ça. Donc, j'étais nerveux ! »

Quelques jours plus tard, je parlais avec les gens qui avaient organisé l'événement. J'ai constaté qu'ils ne comprenaient pas pourquoi je m'étais tant inquiété. Je leur ai expliqué :

« Je pense qu'aucun d'entre vous ne se rend compte que c'était la première soirée dans toute l'histoire de notre vénérable firme de 175 ans que quelqu'un amenait son conjoint de même sexe à un souper du bureau. *La toute première fois !* »

Comme ils ne me croyaient pas, je les ai mis au défi : « Nommez-moi une personne, une *seule* personne qui l'a déjà fait. » Ils n'ont pas réussi à trouver qui que ce soit.

Peu de temps après, durant un autre événement du bureau, j'ai recroisé l'associé chez qui j'avais été invité. Il m'a emmené à l'écart, car il avait quelque chose à me dire. J'étais nerveux de nouveau. Il m'a dit : « Je voudrais seulement te remercier. Le soir du souper chez moi, tu m'as appris une chose que je ne savais pas. »

Étonné, je l'ai laissé continuer : « Je suis Juif. Toute ma vie, j'ai su que je pouvais souffrir de discrimination pour cette raison et j'en ai effectivement souffert. Mais ce soir-là, quand j'ai vu que toi, plus que quiconque, était nerveux à l'idée de venir chez moi, alors que je t'avais moi-même choisi comme quelqu'un d'incontournable parmi mes invités, j'ai trouvé l'incohérence trop flagrante.

Je ne pouvais pas concevoir que quelqu'un comme toi pouvait se sentir menacé ou même se préoccuper que quelqu'un d'autre puisse ne pas l'aimer. C'est fou, n'est-ce pas ? Et c'est là, pour la première fois, que j'ai compris que les gais et lesbiennes vivent exactement ce que je vis. Ce *qu'on* vit. Je ne m'en étais jamais rendu compte auparavant. Donc merci ! Tu m'as ouvert les yeux ! »

Environ cinq ans plus tard, la formule avait changé. Le souper des avocats avait maintenant lieu dans la salle de bal d'un bel hôtel. On y comptait d'ailleurs quatre couples de même sexe. Encore une soirée très agréable.

Marc-André, l'associé directeur, était là avec sa femme. Ils connaissaient bien mon conjoint Marco. On était tous sur le plancher de danse, tout le monde s'amusait, puis tout à coup, un *slow* a commencé… Marc-André s'est retourné vers sa femme pour l'inviter à danser. Marco s'est retourné vers moi et il a vu mon hésitation. Marc-André m'a dit : « Voyons David, danse avec ton chum. »

J'allais le décevoir : « OK, je suis désolé. J'ai fait beaucoup de progrès par rapport à ça, mais danser un *slow* avec mon chum dans un party de bureau... Oubliez ça! » Cela dit, un couple de lesbiennes dansaient déjà ensemble. Un couple de gars plus jeunes faisait la même chose. Au moment où j'allais retourner m'asseoir, Marco a offert à une fille de danser.

Finalement, j'ai fait de même avec une fille du bureau que je connaissais bien. Marco et moi avons donc dansé un *slow* l'un « à côté » de l'autre plutôt que l'un « avec » l'autre... et tout le monde a ri de moi!

Aujourd'hui, mon engagement comme président du GRIS est connu et même reconnu à la grandeur du pays chez McCarthy Tétrault. Le fait que je sois ouvertement gai à mon bureau depuis presque 20 ans a également permis à plusieurs avocats et avocates arrivés après moi de travailler sans se soucier des conséquences possibles de leur orientation sexuelle.

J'ai eu moi-même un modèle important : mon ami Michel Yergeau, aujourd'hui juge à la Cour supérieure, était un associé ouvertement gai chez Lavery, de Billy quand j'étais jeune avocat. À l'époque, et dans les années qui ont suivi, il a donné l'exemple à plusieurs autres avocats de sa firme. Je ne suis donc pas le premier ni le dernier à avoir eu besoin d'un modèle pour évoluer et m'épanouir.

Cela dit, il n'y a pas que les personnes qui peuvent servir de modèles. Quand « l'Anglais de Calgary » que j'étais est venu étudier au Québec il y a 30 ans, je savais que je débarquais dans le seul endroit au Canada où, depuis plusieurs années, une charte protégeait expressément les droits des gais et des lesbiennes. Le Québec a donc été lui-même un modèle. J'ai vu le reste du Canada et plusieurs autres pays suivre son exemple par la suite. En tant qu'avocat, j'aime penser que ma propre liberté de vivre ouvertement mon orientation sexuelle est reliée à ça aussi.

DAVID PLATTS, 50 ANS, GAI

VERS MES 18 ANS, QUAND JE ME
CONSIDÉRAIS DÉJÀ COMME

lesbienne

en dedans de moi, j'avais encore du mal à le dire. Je ne sais pas pourquoi. À l'époque, c'était comme un «gros mot» pour moi. Il venait malheureusement avec plein de clichés qui, je trouvais, ne me représentaient pas. En fait, le mot

LESBIENNE

me faisait peur. Aujourd'hui, je m'en veux d'avoir eu autant de mal à le dire, mais on est comme on est et j'imagine qu'on a toutes un processus à traverser. Pour me définir, j'ai donc commencé par utiliser le mot «gaie». Je trouvais que ça englobait tout. J'aurais pu utiliser «homosexuelle», mais ce mot-là, je le trouvais trop long! «Gaie», c'est court, facile à dire. Plus tard dans ma vie, après avoir rencontré d'autres lesbiennes, après m'être entourée d'amies lesbiennes, j'ai fini par sentir que je faisais partie d'une communauté. Maintenant, je ne suis plus juste gaie. Je me sens beaucoup plus

LESBIENNE.

J'ai une fierté d'appartenance, non pas que je n'étais pas fière avant, mais j'étais tellement en train de m'affirmer que je trouvais ça encore trop vrai, trop tangible de le dire. Parce qu'au fond, c'est ça:

LESBIENNE,

C'EST PLUS VRAI.

CHLOÉ ROBICHAUD, 27 ANS, LESBIENNE

QUAND J'AVAIS NEUF ANS, ON A DÉMÉNAGÉ
DE ST-BRUNO À BEYROUTH

parce que mes parents allaient travailler là-bas. Je dirais que c'est là que j'ai commencé à regarder les gars. On était en 1976, les hommes avaient des *mullets* (cheveux longs, coupe Longueuil, très *70's*) et des moustaches. Ce sont les premiers gars que j'ai regardés à une époque où moi, j'avais l'air d'une espèce de sauterelle. Pour moi, c'était le summum de la beauté. Et c'était inaccessible.

Des années plus tard, à 47 ans, j'ai vécu mon «fantasme libanais» avec un gars que j'ai connu ici à Montréal. Quand on s'est rencontrés, je m'en allais à Beyrouth pour jouer *Incendies* de Wajdi Mouawad, alors que lui rendait visite à sa famille. Ça a été une rencontre magique qui n'a pas duré longtemps, mais qui a été importante pour moi. Je retournais dans des lieux de mon enfance et, grâce à lui, je vivais la culture libanaise de l'intérieur. C'était quelqu'un de très différent de moi, dans nos valeurs comme dans notre façon de voir les choses.

Il était ouvertement gai avec ses sœurs, mais pas avec ses parents. C'était une autre réalité, complètement. En même temps, une fois rendu là-bas, je comprenais à quel point c'était difficile de déplaire aux parents, d'assumer sa marginalité. Dans la société libanaise, les apparences sont importantes. Le déni aussi. Là-bas, le mot d'ordre, c'est beaucoup: «Marie-toi, fais ce que tu veux, mais marie-toi. Je sais un peu ce que tu vis, mais je ne veux pas le savoir. Je t'aime. Et marie-toi. »

J'imagine que c'est pour ça qu'ils viennent ici: pour trouver un sentiment de liberté. Il y a une communauté de gais libanais à Montréal et ils sont assez beaux ensemble. C'est comme une famille reconstituée. Des frères de cœur! Ils sont super importants les uns pour les autres parce que dans leurs familles, c'est trop rigide.

C'était la première fois que mon chum rencontrait un Québécois qui avait un lien avec le Liban. Ce n'est pas toujours évident pour eux de rencontrer des gens qui comprennent la guerre ou la vie qu'ils ont eue là-bas. J'étais un peu le gars idéal pour lui à ce moment-là dans sa vie. C'était très intense de vivre ça ensemble, c'est comme si c'était plus fort que nous. J'ai vécu un été incroyable.

ÉRIC BERNIER, 49 ANS, GAI

FLUIDE [flyid ; flyid] adj. et n. m. — XIVᵉ ; lat. *fluidus*, de *fluere*
→ fluer ; fleuve* (encadré).

Quand j'avais 10 ans, je lisais des ouvrages féministes dans la bibliothèque de ma mère. Des livres qui parlaient beaucoup de «fluidité sexuelle». Dès ce moment-là, j'ai compris que je ne ferais jamais de distinction entre un homme et une femme. Sur les plans affectif, amoureux et sexuel, même si à l'époque je découvrais la sexualité, pour moi c'était clairement quelque chose qui n'allait pas être si tranché que ça.

Adolescent, j'en parlais avec mes amis et, évidemment, ils me disaient : «Ben là, tu es gai ? Tu vas faire ton coming-out ?
— Non, non.
— Ah ben. Tu es bisexuel d'abord.
— Si ça peut faire votre affaire de me coller cette étiquette-là, allez-y gaiement !»

Sauf que, depuis, j'ai surtout été avec des femmes. J'ai rencontré mon chum actuel à 38 ans. Et c'est mon premier chum. Évidemment, des gens m'ont dit : «Bon, là tu fais ton coming-out !» Ma réponse reste la même : «Hé non !»

C'est comme si la «bisexualité», que je mets entre guillemets, m'obligeait à un coming-out perpétuel. Je dois toujours réitérer les faits : j'ai été marié à une femme, j'ai eu un fils, j'ai été très heureux avec ma deuxième blonde, et là, je suis avec un gars que j'aime.

Ça crée un malaise... On dirait qu'aux yeux des autres, lorsque j'étais avec une femme, je vivais une *vraie* relation amoureuse, et que maintenant que je suis avec un homme, la relation amoureuse précédente était fausse. «Dans le fond, quand tu étais avec elle, tu n'étais pas toi-même !», me dit-on.

Je suis moi-même en ce moment en étant amoureux d'un homme et en ayant du désir pour lui comme j'étais moi-même quand j'étais amoureux d'une femme et que j'avais du désir pour elle. Et si jamais je retombe amoureux d'une femme, je serai encore moi-même… C'est beaucoup d'explications pour quelque chose qui va de soi selon moi.

Quand j'étais jeune, je tripais à la fois sur *L'homme de six millions* et sur *La femme bionique*. Autant j'étais fasciné par la masculinité de Lee Majors, autant j'étais complètement amoureux de Lindsay Wagner. Pour moi, c'était la plus belle femme de l'Univers! Cela dit, sur les murs de ma chambre, à part des photos de petits phoques, de chats ou d'avions pour lesquels j'avais une grande passion, il y avait seulement des photos de Lindsay Wagner. Une photo de Lee Majors aurait donné des munitions à ceux qui m'intimidaient. Triper sur Lindsay Wagner, ça passait, c'était rassurant.

En fait, en y réfléchissant maintenant, je crois que je m'identifie davantage au personnage de Lara Flynn Boyle dans le film *Threesome*. Le trio en question était formé d'un hétéro, d'un gai et d'une fille qui était stimulée sexuellement par les mots longs et compliqués. C'est ça qui l'excitait, la fille! À un moment donné, ils sont à la bibliothèque et elle dit au gai: «*Tell me some big words.*»

> geant, deprimant.
>
> **Stimuler**
> *Syn.* **I.** *(Méd.)* Accélérer, activer, aiguiser, doper, fortifier, réconforter, remonter, soutenir. — Aiguillonner, animer, encourager, enflammer, éprouver, éveiller, exciter, exhorter, fouetter, inciter, piquer, pousser à.
> *Ant.* **I.** Calmer, endormir, engourdir.

Le gars ouvre le dictionnaire, cherche les mots les plus compliqués possible et la fille a un orgasme. C'est une scène extrêmement drôle!

Je suis un peu comme ça: ce qui me stimule chez les gens, ce que je trouve le plus sexy, c'est leur intellect. C'est sûr que c'est un ensemble de qualités qui m'amènera à tomber amoureux d'une personne ou non. Mais les gens qui m'attirent le plus sont passionnés et capables de s'exprimer de manière articulée, peu importe qu'on parle de chars, de sport ou de physique nucléaire!

INTELLECT [ɛ̃tɛlɛkt] n.m. (lat. *intellectus*, de *intellegere*, comprendre). Faculté de forger et de saisir des concepts ; entendement.

Même si j'ai une fascination pour la linguistique, je n'ai pas besoin de longs mots... La femme dont j'ai été le plus amoureux dans ma vie était une fille hyper instruite, fascinée par le savoir. Son objet le plus précieux, c'est un livre.

Je suis pareil. J'ai une collection de dictionnaires. Étant un *nerd* complètement assumé, l'une de mes passions, quand j'ai besoin de me détendre par un froid d'hiver, c'est de prendre du chocolat noir avec un petit verre de porto, de me faire couler un bain et de lire un dictionnaire. À partir de n'importe quelle page. Moi, c'est ça qui m'attire. C'est aussi ce qui m'a attiré chez ma blonde précédente : comme elle, j'aime m'asseoir et parler de choses complètement abstraites qui, pourtant, ont un sens. Et maintenant, avec mon chum, qui est bibliothécaire, c'est pareil.

Récemment, j'étais dans un forum de discussion, et cette question a été posée : «Quel a été le moment où vous avez eu l'érection qui vous a mis le plus mal à l'aise?». En général, ce genre de situation arrive à l'adolescence. Pas pour moi. J'étais à l'université durant une discussion avec l'une de mes professeures, une intellectuelle prise dans sa bulle et pas particulièrement attirante physiquement. Elle me suggérait de lire tel auteur qui avait développé tel concept théorique. «Ah oui, c'est quoi?» Et quand elle a commencé à m'expliquer la théorie... j'ai eu une érection. Je suis *nerd* à ce point-là!

Peut-être qu'au fond, je devrais créer une nouvelle orientation sexuelle, juste pour moi. J'aimerais bien «nerdosexuel»!

ERIC SHANNON, 47 ANS, BISEXUEL

« J'AIMAIS TELLEMENT L'ÉGLISE QUE JE PENSAIS DEVENIR CURÉ. »

Quand j'ai compris que je désirais avoir une relation amoureuse avec un autre homme, l'idée que je ne pourrais pas avoir d'enfants restait très difficile à accepter pour moi. Depuis que je suis tout petit, j'ai toujours voulu être père.

J'ai donc commencé par essayer de ne pas être gai. Je me rappelle : ma mère avait un livre de développement personnel, écrit par le pire écrivain du monde... Très conservateur, religieux à l'extrême, il dénonçait les dangers qui, selon lui, guettaient la société. La drogue et l'homosexualité, par exemple.

Il expliquait que l'homosexualité était une période que des gens pouvaient vivre, mais que ça finissait par passer. Puisqu'on pouvait en « guérir », selon lui, il proposait dans le livre une série de choses à faire pour que ça disparaisse. Comme un bon élève, j'ai essayé de suivre ses instructions.

Il fallait que j'arrête d'avoir des fantasmes pour des gars. Que j'arrête de parler à ceux qui partageaient mes fantasmes. Je devais aussi faire l'effort de sortir avec des filles, pour m'aider à ne pas nourrir mes désirs envers les gars. Selon l'auteur du livre, en les contrôlant, j'allais un jour les oublier.

J'ai essayé de faire ça autant que j'ai pu : ma mère disait que l'homosexualité, « c'est juste de la souffrance pour la personne et pour sa famille, c'est le VIH, c'est mauvais », etc. Ma mère et moi, on a toujours été très proches. Elle était la personne la plus importante dans ma vie. Je ne voulais pas la décevoir.

À l'époque, j'étais très impliqué dans les groupes de l'église. Tous les samedis, toute la journée, je retrouvais mes amis à l'église. J'adorais ça. Je ne pouvais pas parler du fait que je commençais à comprendre que j'étais gai, mais on y était très ouvert à toutes sortes de différences.

Curieusement, la mort du pape Jean-Paul II a eu une grande influence sur mon processus de sortie du placard — les gens trouvent toujours ça drôle que cet événement-là fasse partie de mon histoire. Peu avant que le pape décède, la veille de mes 24 ans, je prenais une douche au club sportif et j'ai eu comme une illumination. Je me suis dit : « C'est ça que tu es. Tu as essayé, tu as suivi toutes les instructions du livre et ça ne marche pas. Tu es gai, tu ne peux rien y faire. Soit tu décides de le dévoiler et de le partager avec les gens que tu aimes, soit tu le gardes secret et tu risques alors d'être malheureux et de rendre une fille malheureuse. »

Cela dit, j'aimais tellement l'église à ce moment-là que je pensais devenir curé. Avant de faire ma sortie du placard, il fallait donc que je sois sûr de mon affaire : si j'étais ouvertement gai, devenir curé, il fallait oublier ça.

«NE LAISSE PERSONNE TE FAIRE CROIRE QUE C'EST UN PÉCHÉ. ÇA NE L'EST PAS.»

Cependant, le décès du pape m'a donné un petit espoir, et je me suis fixé une date limite. Je pensais que le jour où on allait connaître l'identité du nouveau pape, on saurait si l'Église se dirigeait vers une plus grande ouverture ou pas. S'ils nommaient un pape plus progressif, j'allais peut-être pouvoir être gai *et* curé. S'ils choisissaient un pape conservateur, ça ne servait à rien de devenir curé : l'obéissance, ce n'est pas ma force.

Ma mère et moi, on suivait tout ce qui se disait au sujet des successeurs possibles de Jean-Paul II. J'ai pensé : «S'il vous plaît, mon Dieu, faites que ce soit n'importe qui, sauf Ratzinger.» Et c'est lui qui est devenu pape...

Le 20 avril 2005, soit le lendemain de son élection, j'avais déjà préparé mon plan de sortie du placard. J'allais en parler à trois personnes par semaine, en commençant par les plus faciles. Parmi les premières personnes, il y avait le curé de mon église. Il était déjà mon directeur spirituel, et on avait eu des conversations assez ouvertes sur la sexualité.

Il m'a remercié de la confiance que je lui accordais et m'a dit qu'il était heureux que j'aie finalement accepté qui j'étais. Il a ajouté : «Je vais juste te dire trois choses. Premièrement, ne laisse personne te faire croire que c'est un péché. Ça ne l'est pas. Deuxièmement, maintenant que tu es certain de qui tu es, vas-y : si les gens t'aiment, ils vont t'accepter. Troisièmement, termine ton projet de fin d'études. Tu le diras à tes parents quand tu voudras, mais je te suggère de finir ton projet et de leur dire ensuite. Si ta mère veut en parler, dis-lui de venir me voir.»

Ses conseils ont été très importants pour moi : l'église a toujours été un lieu de croyance et d'amitié pour moi, en plus de faire partie de mon bagage culturel et familial. J'avais besoin que ce message-là vienne de l'intérieur de l'église.

Aujourd'hui, je ne suis pas fâché du tout de ne pas être devenu curé. J'aide les gens autrement. En plus, je peux encore réaliser le rêve que j'ai depuis toujours : celui de devenir papa un jour.

ROBERTO ORTIZ NÚÑEZ, 33 ANS, GAI

La première fois que je suis venu à Montréal, c'était pour un échange universitaire, à la fin de l'été 1998. Trois semaines après mon arrivée, j'ai découvert qu'il y avait un «village gai». J'y suis allé, je suis entré dans un bar et j'ai vu deux gars s'embrasser. J'ai pensé: «Ah que je me sens bien ici, que je suis à l'aise!» Ce qui m'a surpris, c'était la concentration de restos et de bars et le fait que c'était à la vue de tous. En Italie, les bars et les boîtes de nuit sont cachés. Dans un bar hétéro, il pouvait y avoir une soirée gaie par semaine, mais il fallait le savoir. Quand tu y allais, il n'y avait pas de drapeau ni d'enseigne. Si c'était une boîte gaie, il fallait se rendre en voiture, et c'était caché dans des quartiers industriels.

Ici, j'ai pris le métro et j'ai vu les couleurs du drapeau gai en sortant à la station Beaudry. Je me suis retrouvé dans un quartier plein de drapeaux arc-en-ciel et de gens du même sexe qui se tenaient la main dans la rue. Pour moi, c'était une énorme surprise. J'aimais cette liberté, cette ouverture. En Italie, les boîtes de nuit gaies sont sombres, et les rares fois où j'y suis allé, je sentais que j'étouffais. Ici, c'est complètement différent: on sort pour s'amuser et rencontrer des amis.

**Massimiliano Zanoletti,
38 ans, homosexuel**

Je viens de Granby et, avant d'arriver à Montréal, je m'imaginais le Village comme un quartier où tous les commerçants étaient gais: le fleuriste, le restaurateur, le cordonnier, le coiffeur. Je me disais que, dans chaque maison, il y avait un petit gai qui arrosait ses fleurs, lavait ses fenêtres. Comme un Disney World gai. J'avais lu le *Fugues* comme une bible et je croyais que tous les annonceurs dans le magazine avaient pignon sur rue dans le Village. Dans ma tête, je voyais même une grande bannière à l'entrée, comme en arrivant sur la promenade Ontario, «Bienvenue to the Gay Village». Je n'étais pas déçu, tout était gai à mes yeux de toute façon. Je trouvais juste qu'il n'y en avait pas assez.

Martin Labrie, 44 ans, gai

LA PREMIÈRE FOIS QUE JE SUIS ALLÉE DANS
LE VILLAGE,

c'était durant les événements de la Fierté. La rue était fermée, et il y avait toutes sortes de monde. J'étais tellement énervée : je ne comprenais pas qu'il y avait autant de monde gai dans la vie et que je n'étais pas au courant. C'était *challengeant* pour mon couple de voir autant de lesbiennes... Ça voulait dire que je pourrais être amoureuse de plein d'autres filles ! Je venais de Sherbrooke et je connaissais peut-être 15 lesbiennes. Donc, le fait de voir qu'il y en avait 100 fois plus, c'était bouleversant quand même ! Et du beau monde à part ça ! J'ai vécu un choc. Un choc positif.

Laurence Tanguay Beaudoin, 27 ans, lesbienne

Je me rappelle que je n'aimais pas le Village quand j'étais plus jeune. Je rejetais le Village. Je trouvais ça trop gai, trop fif, trop flamboyant. Ça me gossait. Je pense que c'est parce que je ne m'acceptais pas encore totalement. Aussi, il y a un côté *trash* dans le Village, un côté pauvre. Sainte-Cath, c'est *rough*, des fois. Mais avec le temps, le mépris que j'avais pour le Village, qui était indu, a fondu, et c'est effectivement un endroit où je vais et je me sens bien. On s'y sent accepté. On se sent un peu comme à la maison.

Xavier Dolan, 26 ans, gai

Quand je suis arrivée à Montréal, je suis allée marcher pendant plusieurs minutes dans le Village. Il y avait plein de gais au mètre carré et c'était tout un *feeling* ! On était dehors aussi, au grand jour. C'était tellement rassurant, je me sentais comme un poisson dans l'eau ! J'étais optimiste par rapport à l'avenir, voilà l'effet que ça me faisait. On dirait que le monde entier était gai. C'est comme si des portes s'ouvraient devant moi.

Chloé Robichaud, 27 ans, lesbienne

Dans le temps où j'étais célibataire, le Village, c'était la place où je pouvais être moi-même. Je pognais dans le Village. J'avais un groupe d'amies et j'étais à l'aise d'être celle qui avait le plus de *guts* pour aller parler aux filles. Mes amies me voyaient comme celle qui allait tout le temps *cruiser*. J'étais à l'aise d'être cette personne-là. C'était la première fois que je sortais de ma bulle. Je me sentais plus en vie quand j'étais là.

Catherine Duclos, 27 ans, lesbienne

Mon premier contact avec le Village a été virtuel. J'ai rencontré ma première blonde québécoise sur un *chat* pour filles. Elle me disait que le vendredi soir, elle allait au Drugstore, dans le Village, et quand elle m'expliquait ce que c'était, je ca-po-tais. J'avais 27 ans, donc c'était longtemps après mon coming-out, mais c'était encore quelque chose qui me paraissait incroyable. «C'est le paradis de la lesbienne!» que je me disais. À l'époque, durant les 5 à 7 au Drugstore, c'était rempli de lesbiennes sur 4 étages. Quand je suis arrivée au Québec, c'était important pour moi de voir ça, de voir un quartier comme le Village. Et de constater que là où j'allais vivre, il y avait une telle ouverture et même des endroits spécialement pour les filles, ce qui était complètement inexistant en Belgique.

Marie Houzeau, 44 ans, lesbienne

J'ai une amie gaie qui, elle, n'aime pas le Village. Elle trouve que c'est laid, qu'il n'y a pas d'offre culturelle, que ça ne devrait plus exister. Bref, elle est contre ça. C'est une super bonne amie et chaque fois qu'on en parle, j'essaie de lui expliquer : «Moi, au début, quand j'ai fait mon coming-out, j'allais au Drugstore et j'étais contente d'être dans un lieu identifié comme gai. Ça m'aidait à m'accepter et ça me permet-tait d'observer la faune. Je voyais qu'il y avait plein de genres de filles gaies. S'il n'y avait pas eu de lieux comme ça dans un quartier comme le Village, je serais allée dans n'importe quel bar et là, bonne chance!»

Sophie Laforest, 31 ans, lesbienne

J'AIME L'ESPRIT DU VILLAGE.

Ce n'est pas un ghetto et c'est ça qui est rassurant. Les gens y sont bien, tout le monde est bienvenu. Pour moi, ce n'est pas le seul lieu où tu peux vivre pleinement ton homosexualité, mais pour certains, ça l'est, alors tant mieux pour eux. Dans le Village, je vais au karaoké avec mes amis et on a du fun: c'est la meilleure place au monde pour pousser la note!

Martin Proulx, 26 ans, gai

Ma première fois dans le Village, j'avais peut-être 18 ans. J'avais été invitée à un souper de fête. Je ne savais pas que c'était dans le Village gai. Mon amie n'avait pas voulu me le dire parce qu'elle savait que j'aurais eu peur. Rendue là-bas, j'ai vu deux gars s'embrasser et j'ai compris où j'étais. J'ai été choquée. Aujourd'hui, je me sens bien dans ce quartier-là. Je ne suis pas quelqu'un qui démontre beaucoup d'affection en public, mais dans le Village, je trouve que je peux être moi-même sans être jugée. J'aime ça tenir la main de ma blonde. Dans le Village, personne ne le remarque. Et je trouve ça bien agréable.

Charline Labonté, 32 ans, gaie

uand j'avais six ou sept ans, au Vietnam, deux femmes étaient responsables des cours de tennis au centre où mes parents jouaient. Ça se voyait qu'elles étaient différentes, mais je ne pouvais pas dire exactement en quoi elles l'étaient.

C'était un couple, mais je ne le savais pas. Je l'ai su beaucoup plus tard par ma mère qui en a parlé très ouvertement. Elles ont été ma première étincelle d'homosexualité, sans que je puisse vraiment réaliser ce que c'était. Il y avait un mot pour ça mais je ne l'aurais pas su. C'était un mot sophistiqué, presque scientifique.

Au Vietnam, l'homosexualité est d'ailleurs tellement cachée que plusieurs pensent que ça n'existe pas. On dit là-bas qu'il n'y avait pas d'homosexuels jusqu'au moment où le pays a ouvert ses portes, que les Blancs sont venus et ont tout converti, alors que c'est faux! Quand l'Occident arrive, on prend la liberté d'être ce qu'on est. On ose se montrer. C'est comme un révélateur. Un apprentissage à être soi.

Mais ce n'est pas facile. Avant, ce n'était pas permis. Tu ne te comprends même pas. Alors, tu peux grandir toute ta vie sans savoir que tu es gai. En fait, tu sais que tu es gai, mais on t'a tellement conditionné à te marier et à avoir des enfants que tu le fais. En même temps, tu as une double vie que tu dois cacher.

J'en ai rencontré des Vietnamiens mariés avec des enfants et plus gais que ça, ça n'existe pas! Je les vois gais, même si je me trompe parfois. Il peut même arriver que je leur dise: «Tu sais, tel gars, il te trouve tellement *cute*.» Et là, ils partent à rire. Je n'ai pas de filtre: j'ai oublié que c'est un tabou. Parce que je viens de l'Occident.

Quand je retourne au Vietnam, je suis une Québécoise. Mais une Québécoise qui n'a pas intégré non plus dans son bagage culturel la connotation négative que peut avoir l'homosexualité au Québec. J'ai manqué ce bateau-là parce que je ne comprenais pas assez bien le français, je pense. Quand tu arrives dans une culture, tu apprends tellement de choses, alors que ça, c'est quand même assez pointu.

MOI, JE NE COMPRENAIS PAS LES MOTS « FIF » OU « TAPETTE ». ON AURAIT PU M'APPELER « TAPETTE » ET J'AURAIS PENSÉ QUE C'ÉTAIT UN COMPLIMENT.

Mes premiers personnages gais, je les ai vus dans *L'amour avec un grand A* de Janette Bertrand. Elle a abordé la question de l'homosexualité, du sida et beaucoup d'autres sujets. Je dirais que ma culture, ça a d'abord été les grands A de Janette. La réalité québécoise, la culture québécoise, je les ai découvertes à travers ça.

Ensuite, j'ai lu. Mon oncle m'a donné *Le jardin d'acclimatation* d'Yves Navarre, un auteur qui venait d'une famille qui refusait qu'il soit gai. J'ai lu Mishima aussi. Hervé Guibert, Roland Barthes. Beaucoup d'auteurs gais. J'ai une grande bibliothèque d'auteurs gais. Au cégep, il y avait un gars dans mon cours de danse qui était gai. Enfin pour moi, c'était comme une évidence. Je ne l'avais jamais considéré autrement que comme gai. Je pensais qu'il le savait. Je l'ai revu par hasard à l'université. On est allés prendre un café. Au bout d'un moment, il m'a dit: «J'ai une grosse nouvelle à t'annoncer. Je suis allé chez le psy durant la dernière année. Ben là, finalement, c'est ça... Je sais maintenant que je suis gai.» J'étais estomaquée: «Pourquoi as-tu payé tout cet argent-là? Tu avais juste à me le demander. Moi, je le savais. Tu n'avais pas besoin d'aller chez le psy pour ça!» Pour l'immigrante que j'étais, c'était de l'argent jeté par la fenêtre! Maintenant, je comprends que c'était un processus qu'il devait faire pour s'accepter, mais moi, je l'avais toujours accepté comme ça. Comme «lui». Comme Maxime... gai. Ce n'était même pas important.

Quand mon frère Tin était au cégep, plusieurs filles lui tournaient autour, dont des Vietnamiennes. Il parlait beaucoup au téléphone avec elles. Mon oncle, qui habitait avec nous, l'entendait et disait: «C'est pas sa blonde. Il n'y a pas de sexe là-dedans.» Je trouvais ça plate qu'il n'ait pas de relation. Je le trouvais bien tranquille en comparaison de mes amis de gars qui faisaient le party.

Quelques années plus tard, je travaillais comme avocate à l'étranger. J'ai fait un arrêt à New York où mon oncle avait déménagé, et Tin était là au même moment. On brunchait tous les trois au Viceroy sur la 8ᵉ Avenue. Mon oncle est architecte, donc on parlait des édifices, des nouvelles constructions. Il m'a dit: «Tu sais, Philippe Starck vient de faire tel hôtel, c'est très beau. Demande à Tin, il a beaucoup aimé ça.»

J'ai dit à Tin : «Quoi? Tu es venu à New York et tu n'es pas resté chez notre oncle?» Mon oncle a éclaté de rire. J'ai pensé : «OK, il y a quelque chose que je ne sais pas...»

Mon oncle avait lâché ça pour que Tin s'expose, pour que ça ouvre la conversation. Tin ne disait plus rien. Mon oncle riait.

Je me tourne vers Tin : «Tu étais ici avec quelqu'un?»

Mon oncle riait encore, Tin continuait de se taire.

«Pourquoi tu te caches?»

Tin n'était pas préparé à ça : «Oui, oui, j'étais avec quelqu'un.»

«Pourquoi est-ce que c'est un secret?» Moi, j'étais juste contente qu'il soit avec quelqu'un. «Est-ce qu'elle a trois bras? Un nez dans le front?»

Et là, ça a pris du temps. Il a fini par lâcher le morceau : «C'est ça. J'étais avec...» et il a nommé le nom d'un gars.

Là, je me souviens, je me suis laissée tomber sur le dossier de ma chaise : «Bon, finalement! *Oh my God!* Pourquoi tu as perdu tout ce temps?!»

Ça a été ma première réaction. «Tu as attendu tout ce temps-là pour *vivre*? Voyons donc!» Il m'a expliqué : «Tu ne choisis pas d'être gai. Tu veux choisir quelque chose de facile. Le plus facile, c'est d'être hétéro.» Il ne voulait pas se permettre ça. Parce que s'il commençait, il savait que c'était fini. Il ne pourrait plus jamais retourner en arrière. C'est pour ça qu'il se l'était toujours refusé. Mais à un moment donné, il est sorti et ça a été plus fort que lui. Shlack! C'est fait. Mais ça lui est arrivé sur le tard. Passé 20 ans. Il a manqué toutes ces belles années de sexe! Je lui ai dit en riant : «Là où c'est le plus fort, tu as manqué ton coup. Tu es passé à côté.»

Pour moi, qu'il finisse par le dire, ça a été une espèce de délivrance. Une sorte de soupir. Je me suis dit : «Finalement, mon frère est normal. Il aime les gens!»

KIM THUY, 46 ANS, HÉTÉROSEXUELLE

P.-S. : Non, je n'ai pas manqué mes «belles années». :) Tin

Aujourd'hui, mon père est rendu fier. Quand il va à la pêche avec ses amis, il leur raconte que sa fille et son ex-femme sont lesbiennes et qu'il est à l'aise avec ça. Il est devenu pro-mariage et pro-adoption. Pourtant, mon père est assez conservateur : comptable agréé, président d'une compagnie, homme d'affaires. Mais parce qu'il a parlé de ma mère et de moi, ses associés et ses clients viennent maintenant le voir et lui demander conseil quand ils ont des enfants homosexuels.

La fille d'un de ses amis est lesbienne elle aussi, et il m'a raconté qu'ils s'en étaient parlé à la pêche, dans la chaloupe ! En plus d'être un conseiller financier, il est devenu un conseiller sur l'homosexualité.

GENEVIÈVE DUMAS, 32 ANS, LESBIENNE

JE VIENS DE WINDSOR, EN ESTRIE. CHEZ NOUS, IL Y AVAIT BEAUCOUP DE FAMILLES DE FERMIERS. LES FILLES ÉTAIENT ASSEZ BARAQUÉES.

MOI, J'ÉTAIS *TOMBOY*, MAIS C'ÉTAIT VU POSITIVEMENT.

J'étais forte et débrouillarde, j'allais à la pêche, je jouais dans le bois. Et je n'étais vraiment pas la seule.

Ça a donc été un choc quand je suis déménagée à Boucherville. J'avais huit ans. Dans ma nouvelle école, on a commencé par me dire : « Pour aller dîner, la ligne des gars est là. Les toilettes des gars sont là-bas. » Premier traumatisme. Il commençait à y avoir un prix à payer pour être *tomboy.*

J'avais les cheveux courts. À partir de ce moment-là, je me suis fait pousser les cheveux. Réaction très viscérale. Et je me suis mise à défendre la veuve et l'orphelin dans la cour d'école, parce que j'étais forte. Ça servait à ça.

Au secondaire, j'étais devenue une leader. Dans les sports, la pastorale, les spectacles, le café étudiant, j'étais – et je suis demeurée – une femme très engagée. Ce qui fait que mon apparence n'était plus un enjeu.

C'est plus à l'âge adulte que c'est revenu me hanter. Je me suis fait barouetter comme plusieurs personnes dont le look traverse les genres. Par exemple – et c'est incroyable – j'avais les cheveux longs, je portais une jupe, c'était l'été et j'étais en camisole – et moi, j'en ai des seins ! –, j'arrivais au dépanneur et on m'appelait « monsieur ». Quand ça t'arrive tous les jours, c'est difficile… Surtout que je me définis complètement comme une femme. Je suis née femme, je vais mourir femme. Je ne suis pas trans-identitaire. Je n'ai pas changé de nom, ni de sexe. Dans la binarité homme/femme, ma position est claire. Je trouve simplement que les stéréotypes qui entourent le féminin et le masculin sont très contraignants.

Face aux réactions engendrées par mon apparence, j'ai eu différentes phases. Au début, ça a été la confrontation : « Non, non, je ne suis pas un monsieur, je suis une *madame*. » Et là, ça mettait les gens mal à l'aise... J'ai ensuite utilisé des stratégies d'évitement, par exemple dans des toilettes publiques où on me disait systématiquement : « Les toilettes des gars, c'est de l'autre bord. » Parfois, je m'organisais pour entrer avec une amie, pour valider que j'étais dans la bonne toilette. Ou j'attendais à l'extérieur et je comptais : « OK, il n'y a plus personne, je peux y aller. » Plus tard dans mon cheminement, j'ai carrément utilisé les toilettes des gars. « Si vous pensez que je suis un gars, je vais y aller. Ça va prendre moins de temps que chez les filles ! »

Toutes sortes de stratégies compliquées, jusqu'à ce que je me dise « tant pis ! » C'est un processus qui a duré à peu près 10 ans. Aujourd'hui, si une personne m'appelle « monsieur », je réponds sans reprendre la personne. Je ne veux pas la rendre mal à l'aise, elle ne fait pas ça pour me blesser. Elle croit seulement que je suis un homme, *that's it*. Ce n'est pas plus grave que ça.

Je suis maintenant très à l'aise avec l'image que je projette et je m'assume dans ma particularité : je suis une femme marginale.

Pour mes idées un peu quand même, et aussi parce que j'ai une moustache. Mais je le dis toujours : toutes les femmes ont une moustache. C'est juste qu'on les a convaincues, par le biais de l'industrie de la beauté, que ça n'avait pas sa place sur le visage d'une femme. Que ce sont les gars qui ont des moustaches. Or, je suis obligée de le constater : si les gars perdent des poils en vieillissant, nous autres les femmes, il nous en pousse ! Surtout dans la face. Voilà ma marginalité la plus flagrante.

Quand je repense à mon cheminement, ça n'a jamais été mon homosexualité qui a été un enjeu. Ça a toujours été l'expression de mon identité de genre. C'est ça qui a toujours dérangé les gens. C'est d'ailleurs pour cette raison que je trouve important de conserver ma moustache, même si j'en paie le prix : si tu tapes Manon Massé sur Internet, tu vas lire les pires méchancetés. J'ai la chance d'avoir une équipe qui me protège un peu de tout ça, mais je ne suis pas dupe. Ça joue *rough*. Les mauvaises langues se sentent légitimées puisque dans l'espace public, on leur confirme partout qu'une femme ne devrait pas ressembler à cette image-là. La mienne.

La beauté de la chose, c'est qu'en vieillissant, il y a aussi une confiance qui s'installe. Quand j'étais jeune, je devais m'assurer d'avoir une place. Mais à un certain moment, je me suis dit : « Non, je suis comme ça. Je suis belle. » Et depuis ma toute première relation avec une femme, c'est ce que mes blondes m'ont toujours dit. Qu'est-ce que je pourrais demander de mieux ?

MANON MASSÉ, 51 ANS, LESBIENNE

En 2005, quand j'ai fait mon coming-out à *Tout le monde en parle*, ça a été une libération totale et immédiate.

Je me souviens qu'après la diffusion de l'émission, je marchais dans la rue, et les gens dans les restaurants me faisaient des *thumbs up*, les chauffeurs de taxi klaxonnaient: «Bravo, on est avec toi!» Je sentais un appui. Les gens avaient aimé la franchise. J'ai senti un changement à partir de là. Que je ressens encore d'ailleurs. Non seulement ça ne m'a pas nui, mais je dirais que ça m'a aidé.

La petite séduction a commencé la même année et, là aussi, j'ai senti s'installer graduellement la complicité des gens.

Dans les villages, il y a toujours des gais ou des lesbiennes en couple et, souvent, ils ne le disent pas, mais tout le monde le sait. C'est encore comme ça. Ils viennent m'en parler, ça prend cinq minutes; les gens se confient beaucoup à moi. «C'est mon chum...», qu'ils me disent en murmurant. Une dame plus âgée m'a déjà raconté: «C'est ma conjointe, on est ensemble depuis 40 ans. Les gens pensent qu'on est

des cousines.» Il y en a plein de couples de lesbiennes qui vivent ensemble depuis très longtemps.

Plusieurs viennent m'annoncer que leur enfant est gai. Souvent, ils me remercient d'en avoir parlé publiquement et d'avoir été un modèle. «Mon fils est comme vous.» Parfois, c'est un peu malhabile, mais c'est très sympathique. Et je dois respecter où ils en sont rendus dans leur cheminement. Il faut que ce soit dit tout bas. C'est souvent des gens d'une plus vieille génération aussi. «La génération silencieuse», qu'on appelle.

Les plus drôles, ce sont ceux qui visiblement n'écoutent pas Radio-Canada. Ils me demandent si telle fille est ma blonde ou si j'ai une épouse. Je leur réponds toujours très directement: «Non madame, j'ai un chum, je suis homosexuel.» Ça les scie! Il y en a qui partent à rire, ils pensent que c'est une blague. Certains deviennent livides et s'en vont. D'autres le savent et disent: «T'es donc ben niaiseuse! Tout le monde le sait.» Je m'amuse beaucoup avec ça. Je ne pouvais pas faire ça avant. C'est le fun d'être bien dans sa peau au point d'en rire de même. Ça ouvre toutes les portes.

DANY TURCOTTE, 50 ANS, GAI

Moi, je veux me marier et avoir des enfants.

Un jour, j'ai dit à ma mère : «Quand je me marierai, je le ferai aussi pour toi.» Elle m'a répondu : «Toi? Tu ne peux pas te marier.» Pourtant, légalement, la loi était passée, les gais avaient le droit de se marier. J'ai répliqué : «Oui, je peux. Et avoir des enfants aussi.» Elle a répété : «Des enfants...» Le silence qui a suivi laissait sous-entendre qu'elle ne s'attendait pas à des petits-enfants de ma part. J'ai réaffirmé que je pouvais et que j'en voulais.

Il y a deux ans, quand j'ai rencontré Antoine, mon copain, les choses se sont déroulées de façon naturelle. Après un mois de fréquentation, on ne s'était même pas embrassés, et pourtant, c'était clair, net et précis qu'on était un couple. On s'est dit «Je t'aime» et, par la suite, on était ensemble. On a vite abordé les «gros sujets». On a parlé d'avoir des enfants et lui aussi en voulait. On s'amusait même à leur trouver des prénoms, qu'il s'agisse d'une fille ou d'un garçon : Billie, Victoria, Jules, Zack...

J'ai aussi parlé de mariage dès le début. Comme ni l'un ni l'autre ne portons de bagues, de boucles d'oreilles ou de colliers, je lui ai demandé : «Qu'est-ce qu'on s'offre quand on se marie?» J'ai ouvert la discussion comme ça, histoire de savoir s'il voulait se marier. On en a conclu qu'on échangerait une montre! Parce que c'est plus original. Et peut-être aussi parce que ça marque le temps qui passe, la durée.

Cela dit, je suis un peu étonné de constater la renaissance du mariage. Ma génération est celle du divorce. La plupart des parents de mes amis ont divorcé. C'est peut-être pour ça qu'on veut que notre mariage fonctionne.

Pour moi, ça a toujours été une évidence. Quand tu es bien avec une personne et que tu veux témoigner de cet amour-là, je trouve que c'est le plus beau geste que tu peux faire. Il signifie : « Je veux passer ma vie avec toi, advienne que pourra. »

Je ne veux pas me marier par geste politique même si, au fond, c'en est un. Je le fais bien plus parce que c'est significatif pour moi émotionnellement. Ça concrétise les choses. Je ne pense pas que le mariage change la relation. C'est plutôt une occasion de célébrer l'amour. Notre amour.

Et quand le grand jour arrivera, je serai content de rappeler à ma mère que cette célébration est en partie pour elle. Je sais qu'elle va capoter, qu'elle va être super excitée. Même chose quand on aura des enfants, car ce n'est pas quelque chose qu'elle pouvait imaginer au départ. Ça va être de beaux moments dans nos vies.

LUC BRISSETTE, 25 ANS, HOMOSEXUEL

MON PÈRE ÉTAIT PLOMBIER. En 1977, quand j'ai fait mon coming-out, je craignais beaucoup sa réaction parce que je l'entendais souvent faire des blagues quand il allait chez des clients gais : « Je me demande qui fait l'homme pis qui fait la femme. » J'étais prêt à ce qu'il m'annonce qu'il ne voulait plus me voir. Sa première réaction : « Pourquoi t'as attendu si longtemps avant de m'en parler ? » Le lendemain, il m'a envoyé des fleurs pour me dire qu'il m'aimait encore.

PIERRE RAVARY, 64 ANS, GAI

La première fois de ma vie où j'ai entendu parler d'homosexualité, c'était sur un graffiti quand je suis allée au mont Royal.

Ça disait : « À bas les lesbiennes ! » J'étais probablement en sixième année et je ne savais pas ce que signifiait « lesbienne ».

J'ai posé des questions à ma gardienne, qui m'a répondu par une explication assez péjorative. Elle m'a ensuite posé des questions sur ma mère, avec qui je n'habitais pas puisque mes parents étaient séparés.

« Ta mère vit avec une femme ?
– Oui.
– Elles dorment dans le même lit ?
– Oui.
– Ben, elle est lesbienne, ta mère…
– MA MÈRE EST PAS LESBIENNE ! »

Plus tard, je suis allée dans une école secondaire pour filles. Là-bas, j'ai entendu toutes sortes d'affaires. Par exemple, dès que tu allais à Marguerite-De Lajemmerais, on disait : « Ah ! C'est l'école des lesbis. »

C'est à cette école-là, dans un cours de formation personnelle et sociale, que j'ai compris c'était quoi l'homosexualité. Le prof avait parlé du fait que la mère d'une des élèves était lesbienne. Ça a démystifié des affaires et ça me semblait pas mal moins *heavy*, je dirais. Mais c'était encore marginal.

C'est seulement à l'âge de 14 ans que j'ai réalisé que ma mère était lesbienne. Elle a prononcé le mot « homosexuel » dans une conversation banale qui ne parlait pas de ça. J'étais encore bien naïve à cet âge-là. Je pense qu'elle pensait que j'avais compris depuis longtemps.

Après, je me suis souvenu d'autres conversations qu'on avait eues où elle me l'avait dit, mais jamais explicitement. Bref, ce n'était pas clair pour moi. Je pense qu'avec un enfant, il faut être clair. C'est pour ça qu'avec mes gars, je le suis tout le temps. Ils savent que leur mamie est lesbienne !

C'est pour ça aussi que depuis le début, je demande à mes enfants s'ils ont « une amoureuse ou un amoureux ». Je veux que ça se puisse dans leur tête. Je veux qu'ils n'aient pas à se demander si c'est normal ou pas, si ça se peut ou pas. C'est un sentiment amoureux. Est-ce que je l'ai ou pas ? C'est tout.

FANNY MALLETTE, 39 ANS, HÉTÉROSEXUELLE

Le 26 mai 1997, je me suis enfermé dans mon bureau et j'ai commencé à écrire une lettre à ma femme pour qu'elle comprenne ce qui était en train de m'arriver sans qu'elle se sente rejetée. C'était vraiment — enfin! — une acceptation de moi.

Ça a été extrêmement difficile à écrire. Un collègue est entré et m'a trouvé affaissé sur mon bureau. Je lui ai fait lire ma lettre: j'avais besoin que quelqu'un d'autre partage le poids de tout ça avec moi. Il m'a dit: «Il m'est arrivé exactement la même chose l'an dernier, mais je n'ai pas eu le courage d'écrire cette lettre-là.» La mâchoire m'est tombée.

Quand ma femme a lu ma lettre, elle m'a d'abord dit: «Je ne peux pas croire que tu as vécu ça, je ne sais pas comment tu as fait. Je vais t'aider.» Ça a été sa première réaction: une réaction inattendue, mais saine et aidante. Puis, le temps a fait son travail: quelques mois plus tard, son deuil a commencé,

et elle a eu une réaction plus émotive. Chose curieuse: elle est allée rencontrer mon chum! Elle voulait «l'approuver», s'assurer qu'il était assez bien pour moi, pour la remplacer, elle, dans ma vie. Aujourd'hui, elle et lui sont extrêmement proches. Ils sont comme deux meilleurs amis, très complices. Ils se mettent volontiers sur mon dos ensemble et j'en suis très heureux.

L'été de mon coming-out, on avait loué une maison au bord de la mer aux États-Unis.

On était allés en vacances en famille et c'est là qu'on avait planifié d'annoncer aux enfants qu'au retour à Montréal, on était pour se séparer. Quand on l'a annoncé à ma fille, on était à la plage. C'était un après-midi d'été ensoleillé, il faisait super beau, il y avait des mouettes, un ciel bleu... Pas une journée pour un drame, mais pas du tout! «Tu sais, en rentrant à Montréal, Papa et Maman vont devoir se séparer parce que Papa est homosexuel.» Elle s'est mise à pleurer: «Moi Papa, je m'en fous que tu sois homosexuel. Ce que je veux, c'est que tu restes avec Maman.» Dans sa tête de petite fille de neuf ans, c'était possible.

Des années plus tard, quand on a fêté les 15 ans du GRIS, mon ex-femme était là, avec les enfants, et elle regardait tout ce qu'il y avait autour, toute la magie qu'il y avait dans l'air ce soir-là, les relations entre les gens, le respect. Elle m'a dit: «Tu sais, ce qu'on a vécu a été très dur, mais je regarde ça aujourd'hui et je suis contente. Je trouve ça très beau.»

Se faire dire une telle chose par son ex-femme, ça parle beaucoup d'elle, mais ça parle aussi de l'authenticité qui a fini par émerger. Une authenticité qui est au bénéfice de tout le monde au fond, pas juste le mien.

MICHEL RAYMOND, 55 ANS, GAI

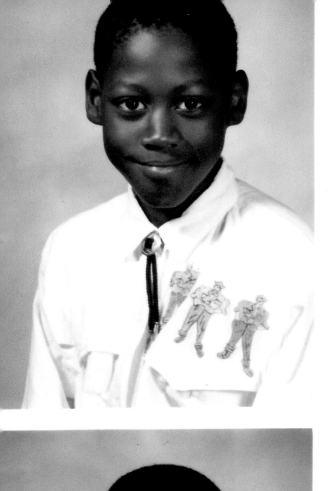

« Y A PAS DE NOIRS QUI SONT GAIS. LES *MASISIS*, IL N'Y EN A PAS DANS NOTRE FAMILLE ET IL N'Y EN A JAMAIS EU. »

Mes parents

J'ai donné la lettre à ma mère en lui disant « Je t'aime » et je suis parti. « Lis-la pas tout de suite, attends que je sois parti, on va s'en parler plus tard. » Elle avait l'air de trouver ça *cute* que je lui aie écrit une lettre. Elle m'a remercié. Pour moi, c'était comme m'enlever un poids et lui remettre à elle.

Plus tard, j'étais dans mon cours d'histoire, deuxième période. La secrétaire est venue me chercher pour me dire qu'il y avait une urgence et que je devais appeler ma mère immédiatement.

Au bout du fil, elle pleurait : « Je suis contente de te parler, loué soit le Seigneur, je pensais que tu allais te suicider. Je savais que tu n'allais pas bien, mais je n'ai jamais pensé que c'était ÇA. » Je suis rentré tout de suite à la maison, à sa demande. Le voyage en autobus jusqu'à chez nous m'a paru le plus long de ma vie.

Dès mon arrivée, ma mère m'a pris dans ses bras. Elle pleurait encore. Mes frères sont arrivés à leur tour, ont vu notre mère en pleurs, sans comprendre. Ma mère avait aussi appelé mon père pour qu'il rentre plus tôt. Quand il est arrivé, j'étais avec ma mère dans leur chambre à coucher. Là, ma mère a pété une coche : « Y a pas de Noirs qui sont gais. Les *masisis*, il n'y en a pas dans notre famille et il n'y en a jamais eu. Qui t'a mis ces idées-là dans la tête ? C'est clair, ce sont tes amis blancs qui t'ont influencé. On va te changer d'école. On va aller voir un prêtre s'il le faut, mais ça ne se peut pas. »

Elle a été hystérique pendant environ 15 minutes. Mon père l'a calmée, puis il m'a dit : « Tu es jeune. Parfois les hormones font des choses dans la tête à l'adolescence. Là, tu vas aller voir le psychologue de ton école, tu vas lui parler de ÇA, de ce que t'as écrit, et je ne veux plus jamais en entendre parler. Tu ne vas plus jamais mettre ta mère dans un état comme ça et tu ne vas pas traumatiser tes frères avec ces histoires-là. »

Quelques années plus tard, mon père est décédé d'un cancer. À ce moment-là, ma tante — la sœur de mon père — a lancé une rumeur comme quoi j'avais menacé mon père de le tuer s'il disait aux autres que j'étais gai. On est dans les extrêmes en Haïti ! Aussi, dans les familles haïtiennes, dès que tu parles de quelque chose, toute la parenté est au courant au bout d'une semaine. J'avais de la famille un peu partout aux États-Unis, en Haïti et à Montréal. Tout le monde s'était fait dire que j'avais tué mon père parce qu'il avait révélé que j'étais gai. Même s'il est mort d'un cancer, c'est comme si j'avais eu recours au vaudou et à la magie pour que ça arrive.

Quand ma mère m'a raconté ça, elle a ajouté : « En passant, toute ta famille sait que tu es gai. » Je lui ai répondu : « OK... Mais pourquoi ? » Elle m'a alors expliqué qu'à partir du moment où la rumeur est venue à ses oreilles, elle a pris son petit bottin de téléphone et a appelé tout le monde, un après l'autre, pour leur dire : « Steve est gai, je suis au courant, son père aussi était au courant. Son père était très fier, je suis très fière moi aussi de mon fils. Si vous avez un problème avec ça, c'est avec moi que vous allez le régler. » Elle a dit ça à toute sa famille ! Je n'en revenais pas.

Mon grand frère

On était dans la cuisine chez ma mère. Mon grand frère buvait de l'eau et on parlait.

« Ah, en passant, j'ai quelque chose à te dire. »

J'avais préparé mon affaire. J'étais prêt à ce qu'on se rende aux poings. Je m'étais même placé près de la porte pour pouvoir sortir rapidement si jamais ça tournait mal.

« Qu'est-ce qu'il y a ?
— Je suis gai. »

Un moment, mon frère s'est arrêté de boire... puis il a recommencé à vider sa bouteille. Je me demandais ce qu'il allait faire, s'il allait me la lancer par la tête. Tout d'un coup, il a éclaté de rire !

« Ben là, je m'en doutais ! Toutes les fois qu'on sortait quand on était jeunes, il ne se passait absolument rien. Tu n'as jamais ramené de fille à la maison. Les blondes que t'as eues étaient super belles, mais c'était évident que vous ne faisiez rien ensemble. Quand tu rencontrais des filles dans les bars, tu ne demandais jamais leur numéro de téléphone même si elles te couraient après pour te le donner. Puis souvent, je t'ai vu jeter les numéros. »

J'étais consterné. Il a enchaîné. « Je peux te niaiser sur plein de choses, mais je ne vais pas te niaiser sur le fait que tu es gai. Tu es toujours mon petit frère et je vais toujours te protéger. Au secondaire, déjà, je m'en doutais. Si quelqu'un avait fait quelque chose, je lui aurais cassé la gueule. »

Et mon grand frère était reconnu comme la terreur de notre école secondaire.

Ma grand-mère

On était tout seuls dans le salon ensemble. « Steve, ta mère m'a dit par rapport à toi. Je t'aime, mais je ne comprends pas. Le Bon Dieu t'a mis un beau chemin pavé devant toi et là, il semble qu'il y a un chemin avec de la pourriture et plein d'affaires dessus et un gros feu (elle m'a dit tout ça en créole) et toi, tu décides de sauter dans le feu. Pourquoi tu ne prends pas le beau chemin pavé par Dieu ? »

Je me suis demandé comment j'allais expliquer ça à ma grand-mère de 82 ans, en créole. Je suis allé au plus simple : « Grand-maman, je pense que je suis un fils de Dieu aussi. Dieu m'a donné un chemin et il n'est pas plein de feu, il n'est pas mauvais. Il est juste différent. C'est le seul chemin que je peux suivre, et je ne l'ai pas choisi. »

Ma grand-mère était quelqu'un qui souriait tout le temps. À ce moment précis, elle n'a pas souri tout de suite... Après quelques secondes, elle m'a pris dans ses bras : « Je t'aime tellement. Il n'y a rien qui va changer ça. » Je n'aurais jamais pensé qu'elle réagirait comme ça.

STEVE FRANÇOIS, 30 ANS, HOMOSEXUEL

« LA BISEXUALITÉ, C'EST LE PLUS GRAND DE TOUS LES PLACARDS. »

A dolescente, je m'étais inscrite à des forums de discussion de gais et lesbiennes. Je tripais fort sur les couples de jeunes lesbiennes qui étaient là. Elles étaient trop *cool,* toutes belles et amoureuses. Comme moi, elles aimaient la musique des jumelles lesbiennes Tegan and Sara.

J'étais très curieuse, je posais plein de questions. Des lesbiennes plus vieilles que moi m'avaient un peu prise sous leur aile. Je trouvais ça merveilleux cet univers-là. Je me disais : « C'est moi, je suis lesbienne. Ça y est ! » Je pensais ça avant même d'avoir eu une relation avec une fille. J'avais déjà eu un chum pendant un an, mais il n'y avait pas de gars dans ma vie à ce moment-là.

Un soir, ma mère est descendue dans ma chambre au sous-sol. J'étais justement devant l'ordi. Les filles du forum m'écrivaient : « Il faut que tu en parles, que tu fasses ton coming-out. » Quand ma mère est arrivée, j'étais en larmes. Elle m'a dit : « Voyons, qu'est-ce qui se passe ? » « Ah ! Je suis lesbienne, Maman. » J'avais à peu près 15 ans. Elle m'a regardée, surprise, l'air un peu bête : « T'es pas morte, là. Ça va aller. » Elle n'avait pas l'air choquée du tout. Ma mère n'avait pas d'amis gais, mais elle nous avait toujours dit : « Peu importe qui tu aimes, je vais t'aimer pareil. » Mais tu ne sais jamais si c'est vrai ou pas quand tes parents te disent ça. Finalement, elle m'a prise dans ses bras : « Ça va bien aller, il n'y a pas de problème. »

Peu de temps après, j'ai eu ma première relation avec une fille, et c'était ben le fun. Par contre, six mois plus tard, je suis tombée amoureuse d'un gars. Comme il venait dormir à la maison, je sentais que ma mère était un peu perplexe, mais elle m'a laissée aller là-dedans.

Moi-même, j'étais assez mêlée. Je me suis dit que mon attirance pour les filles était juste une passade. Mais je me trompais : j'ai eu un autre *kick* pour une fille. Confusion totale. Ça a pris un bon bout de temps avant que quelqu'un me dise que la bisexualité existait. J'ai pensé : « C'est peut-être ça. »

Par contre, j'entendais tout le monde dire que les bisexuelles étaient des cochonnes ou des filles faciles. Ce n'était pas ce que je voulais être. Je pense que c'est notamment pour cette raison que j'ai mis du temps à me coller l'étiquette de bisexuelle.

QU'EST-CE QUI T'ATTIRE CHEZ UN GARS ET CHEZ UNE FILLE ?

Quand je fais des interventions pour le GRIS, voici comment j'explique ma bisexualité aux élèves qui me demandent comment je peux être attirée à la fois par un gars et par une fille.

D'abord, j'aime les gens qui écrivent en français, sans fautes. Pour vrai ! Si quelqu'un est capable de m'écrire une lettre d'amour renversante, je flanche. J'aime l'humour, l'ouverture d'esprit, la culture. Sur le plan de la personnalité, les gars et les filles que j'aime se ressemblent beaucoup.

Si je pense à l'apparence physique, mes goûts pour les gars sont assez stéréotypés : cheveux bruns, grosses épaules carrées, poilus. Et ils doivent être plus vieux que moi, c'est inévitable.

Chez les filles, j'aime les yeux qui ont l'air de voir jusqu'au fond de moi. Un regard perçant et des lèvres charnues. Une fille fonceuse, sûre d'elle-même, bien dans sa peau, c'est clair que c'est séduisant. Et il faut qu'elle rie de mes *jokes* connes.

Peu de temps après, j'ai fréquenté un gars : gros coup de foudre ! À ce moment-là, j'ai effacé complètement mon épisode lesbien. Je fuyais mes amies du forum pour ne pas leur faire honte ou me faire rejeter. Finalement, ça a duré quelques mois. Après, j'ai eu ma première blonde officielle, Virginie.

Elle était super timide et elle ne m'a pas vraiment fait connaître le « monde lesbien ». Mais cette relation m'a quand même montré que j'étais bien avec les filles. Pour vrai. Donc, que j'étais finalement lesbienne! Mais j'étais bien avec les gars aussi... Je n'arrivais pas à me convaincre que je préférais les filles aux gars.

En secondaire 5, je ne disais plus rien à personne sur mon orientation sexuelle. C'était trop mêlant. Dans les partys, j'embrassais parfois des filles, d'autres fois des gars.

Je pense que la première personne à qui j'ai parlé de ma bisexualité, c'est à mon chum, que j'ai connu à 17 ans, et qui est le père de mon fils. En fait, on parlait de mon passé et des lesbiennes que j'avais fréquentées. Il m'a demandé: « Est-ce que ça veut dire que tu es bisexuelle? » J'ai répondu que ça se pouvait, mais je n'en étais pas encore convaincue.

Après lui, j'ai eu des relations avec des filles, mais je tombais toujours sur des drôles de spécimens, dont une qui ramenait des hommes chez nous alors qu'elle me disait que j'étais la femme de sa vie... J'avais conclu: « Si c'est ça être bisexuelle, ça ne m'intéresse pas. »

Puis, j'ai rencontré celui qui allait devenir le père de ma fille, mais il n'était pas vraiment ouvert à mon exploration et à mes questionnements sur mon orientation sexuelle.

Ouf! C'est pas facile, un parcours de bisexuelle!

Pourtant, aujourd'hui je suis en couple avec un homme qui s'appelle Hugo et tout va très bien. On est officiellement ensemble depuis plus de deux ans.

Avant de connaître Hugo — qui est probablement l'homme de ma vie —, mes relations avec le sexe opposé n'avaient jamais été fantastiques. Je me disais: « Avec les gars, ça va, mais quand je vais trouver la bonne fille, ça va être malade! » Je me sentais comme une lesbienne qui s'accommodait des gars en attendant. Hugo est venu

chambouler tout ça. Il est très « gars », et je suis vraiment bien avec lui. Il a trois ados, j'ai deux jeunes enfants et on vit tous les sept dans la même maison. On pourrait penser que ce n'est pas le scénario idéal. Pourtant, c'est ma plus longue relation à vie.

Le problème, c'est que la bisexualité est souvent perçue comme un trip ou une obsession, et non comme une orientation sexuelle. Si tu as un chum, il pense que tu veux aller voir ailleurs pour trouver une fille ou qu'il peut espérer un trip à trois. Si tu as une blonde, elle s'imagine qu'il te manque toujours un mâle. Le reste du monde pense que tu es une obsédée sexuelle qui veut tout, tout le temps, tout de suite.

De façon générale, je ne pense pas que les gens trouvent ça *cool* comme orientation. C'est récemment que je m'en suis rendu compte.

Il n'y a pas de modèles non plus. Il y a bien Lady Gaga, mais je ne m'identifie pas à elle. Je connais plein de filles qui se considéraient lesbiennes quand elles étaient avec une fille, et qui se disent maintenant hétéros parce qu'elles sont avec un gars. La bisexualité est le plus grand de tous les placards ! Il n'y a pas beaucoup de gens qui sont fiers d'être bisexuels, malheureusement.

Même moi, quand j'ai compris que j'étais bi, j'étais déçue d'être aussi attirée par les gars, déçue de ne pas être une vraie lesbienne. J'étais surtout triste d'être toute seule de ma gang. La seule et unique bisexuelle.

Depuis deux ou trois ans, il y a de plus en plus d'endroits où on essaie de parler de bisexualité. Des séries télé présentent des personnages secondaires bisexuels, des articles et des comptes rendus de recherche sont publiés régulièrement. Des chercheurs ont trouvé des bis à qui ils ont pu poser des questions et ce qui en ressort est fascinant. Ça me fait tellement de bien. Finalement, il y a beaucoup plus de bisexuels qu'on le pense, mais ils sont souvent invisibles dans des relations que tout le monde croit hétérosexuelles ou homosexuelles.

LA PERLE RARE

Une des raisons pour lesquelles ma relation avec Hugo se poursuit, c'est que c'est la première fois que je suis avec quelqu'un qui ne capote pas avec mon orientation sexuelle. Mais il ne s'en fout pas au point d'être naïf. Il sait qu'une fille est aussi «dangereuse» qu'un gars, même plus dangereuse, parce qu'avec lui, je suis comblée.

Si ça fonctionne bien entre nous deux, c'est parce qu'il me prend au complet, comme je suis. Il essaie de me comprendre et il a bien intégré ma vision des choses. Et il ne ressent aucune jalousie, ni d'un côté ni de l'autre. En plus, il est drôle et il écrit merveilleusement bien. On est tombés amoureux en ligne. Avec des mégacourriels de 3000 mots.

Les gars — ou les filles — comme lui, c'est rare. Je le sais.

ANNE B-GODBOUT, 25 ANS, BISEXUELLE

J
e me suis rendu compte de mon homosexualité à l'âge de 15 ans, alors que j'écoutais *Janette veut savoir.*

Janette Bertrand décrivait ce qu'était un homosexuel et je me reconnaissais dans chacune des qualités, chacun des traits de personnalité qu'elle nommait. Je me souviens d'avoir éteint le téléviseur et de m'être mis à pleurer comme si on venait de m'annoncer que j'avais un handicap. Je sentais que j'étais différent des autres, mais je n'avais aucun modèle autour de moi et personne dans mon petit village de Sainte-Hélène ne m'avait dit que ça existait. Je l'ai pris très difficilement et ça a été long avant que je l'accepte. J'ai tout enfoui dans le déni, j'ai eu des copines et j'ai fait comme si je n'avais jamais vu cette émission-là. En plus, je voulais continuer de chanter à l'église. Je voulais que le Bon Dieu continue de m'aimer.

Pourtant, mes parents étaient jeunes et super ouverts. Ma mère m'avait déjà dit: «Ce que tu fais à la maison, c'est parfait pour nous. C'est correct que tu aimes jouer avec des poupées, mais quand tu arrives à l'école, essaie de développer autre chose, de jouer au ballon avec les gars. Pas parce que c'est mieux, juste parce que tu vas te faire moins écœurer.» Elle avait probablement décelé tôt dans ma vie que j'étais différent. Mes parents étaient ouverts à ça. J'ai eu cette chance d'avoir des parents hyper aimants.

Mon père m'a même ouvert une porte, un jour qu'on se promenait à bicyclette: «Tu sais mon gars, si jamais tu as un compagnon, ça va être ben correct pour moi.» Je devais avoir 17 ans.

J'ai fait mon coming-out officiel aux membres de ma famille à l'âge de 22 ans. À cette époque, ils vivaient en Floride. À Noël, j'ai réuni tout le monde dans une pièce, éteint les lumières et mis des lampions partout.

J'avais préparé toute une mise en scène. Tout le monde s'est mis à genoux en rond, et j'ai annoncé mon homosexualité à ce moment-là. J'ai eu peur de leur réaction. Je m'étais dit qu'en les plongeant dans le noir avec juste un peu de lumière, je ne verrais pas trop leurs réactions. Comme ils étaient habitués à mes mises en scène, ils n'étaient pas plus étonnés qu'il le faut.

J'ai eu l'impression qu'ils étaient soulagés pour moi. Mes frères m'ont dit qu'ils le savaient et ils m'ont serré dans leurs bras. Ma sœur, qui s'en doutait un peu, a aussi été très aimante. Mon père ne m'a pas lancé de « Je le savais », mais il était très émotif: «J'ai pas de la peine parce que tu es homosexuel, j'en ai parce que j'ai l'impression que ça va être dur de te trouver un ami. Comment vous faites pour vous rencontrer? Nous autres, on se promène dans la rue, je vois une fille, elle me trouve beau, je la regarde, on se sourit et ça y est. Mais deux gars, comment vous faites? Si tu souris à quelqu'un qui n'est pas homosexuel, tu peux manger une tape sur la gueule!» Mon père, lui, s'inquiétait de l'aspect séduction. Il avait l'impression que j'allais finir ma vie tout seul.

Ma mère avait été la première à le savoir. Je lui avais annoncé quelques années auparavant pendant nos vacances en Gaspésie. On marchait ensemble sur la plage, et je lui ai dit: «Maman, je pense que je suis attiré par les gars.» Étonnamment, elle a d'abord été fâchée, même si elle a toujours été très ouverte. Je sentais que ça lui faisait quelque chose. Ça a duré 24 heures. Le lendemain matin, elle m'a dit: «Excuse-moi, tout est parfait, tout est correct.» En parlant avec elle, j'ai compris que sa colère cachait sa tristesse de ne pas avoir de petits-enfants de ma part. Évidemment, elle ne savait pas ce qui l'attendait. Aujourd'hui, elle en a plein les bras!

Quand je repense à toutes les étapes franchies depuis que j'ai entendu parler d'homosexualité pour la première fois à l'émission de Janette, je me dis: «Quel parcours inattendu!» De l'adolescent de 15 ans qui croyait, à tort, qu'il avait un handicap, je suis devenu un adulte heureux d'être homosexuel parce que ça m'a permis de m'affranchir, de dépasser mes limites. Aujourd'hui, c'est mon histoire, c'est ma vie. Ce que j'ai bâti avec mon fils, je lui dis que c'est son histoire et qu'elle est tout à fait différente des autres. Je me suis même rendu compte en la lui racontant que je me la racontais à moi aussi. Mon histoire est unique et je suis chanceux de la vivre. J'ai l'impression que si on accepte nos différences, elles deviennent nos forces.

JOËL LEGENDRE, 48 ANS, HOMOSEXUEL

QUAND J'ÉTAIS PETIT, JE PENSAIS QUE J'AVAIS ÉTÉ ADOPTÉ, TELLEMENT J'ÉTAIS DIFFÉRENT DU RESTE DE MA FAMILLE.

Mon frère jouait au hockey, mes parents et ma sœur tripaient sur ce sport-là. Quand on allait voir jouer mon frère à l'aréna, je lisais mes *Tintin* et je buvais des bouillons de poulet et des chocolats chauds. La seule raison pour laquelle je levais le nez de mes bandes dessinées, c'était pour les pères de famille que je trouvais beaux. Ils me donnaient des battements de cœur.

Évidemment, je n'étais pas adopté, mais j'y ai cru longtemps. Je me sentais tellement différent qu'il devait bien y avoir une raison.

J'avais un oncle gai qui était en couple depuis toujours, mais mes parents n'avaient jamais nommé ça. Je comprenais que mon oncle avait «un ami». Une fois, on était allés les visiter. Leur maison était remplie d'antiquités, de nus, de statues de David. Je trouvais ça beau. Je me disais: «Eux autres, ce sont des vrais artistes. Plus tard, je voudrais vivre dans une maison comme celle-là.»

Je ne savais pas que l'homosexualité existait, et encore moins que j'étais gai, mais je savais une chose par contre: j'étais maniéré. Et là où c'était le plus flagrant, c'était sur mes photos.

Comme j'étais très mal à l'aise avec ça, j'ai commencé à les cacher. Je me souviens d'une en particulier que ma mère avait fait encadrer et mise sur la commode dans ma chambre. Sur cette photo, je devais avoir 18 mois, j'avais des petits cheveux fins et je me tenais avec le poignet cassé. Cette photo-là me faisait honte, et je la cachais souvent. Ma mère disait: «Voyons, comment ça se fait que ta photo est toujours rendue dans le garde-robe?» Et elle la remettait à sa place.

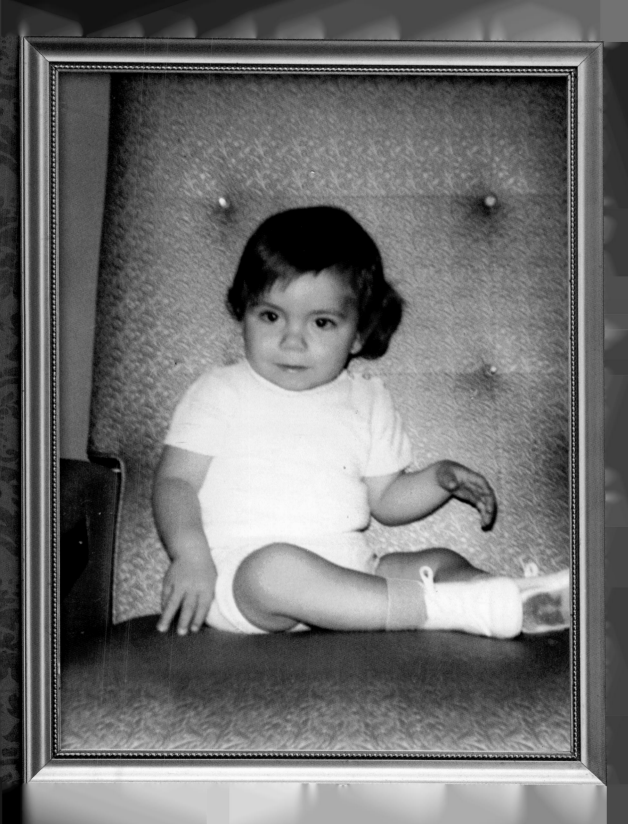

Dans nos albums de famille, il y avait d'autres photos qui me gênaient, parce que j'avais l'air efféminé. Je ne voulais pas les regarder ni les montrer. On voyait que je prenais des poses : j'avais les lèvres pincées, je faisais des mimiques. C'était naturel pour moi.

Même au baseball, j'essayais d'avoir l'air viril, mais ça ne marchait pas. Même chose avec un bâton de hockey. Moi, je posais avec l'accessoire. J'ai toujours été artiste et en représentation.

Pourtant, j'assumais totalement mes goûts. J'ai fait du patinage artistique pendant trois ans et j'ai adoré. Ensuite, mon père, qui était garagiste, m'a inscrit à des cours de danse sociale. Un ami garagiste, dont le fils avait ouvert une école de danse, lui avait demandé si un de ses fils serait intéressé à suivre des cours. Il lui manquait de gars. Mon père lui a répondu : « Le premier joue au hockey, mais je pense que le deuxième aimerait ça. »

Un soir, durant le souper, mon père m'a lancé : « Martin, je t'ai inscrit à un cours de danse. Tu commences la semaine prochaine. » J'ai fait : « Ah, OK ! Je vais essayer ça. » Au début, j'apprenais les pas avec mon prof. C'était un super grand gars, mon nez lui arrivait dans le torse. Il sentait bon. Je dansais avec lui et je fondais. Ses cheveux étaient gominés, il fumait. Il correspondait à l'archétype des pères de famille de l'aréna sur lesquels je tripais. L'année suivante, j'ai joint une troupe de danse folklorique tout en continuant mes cours de danse sociale. À 15 ans, j'ai demandé à mes parents de faire du ballet jazz. J'avais décidé que je voulais devenir danseur et professeur de danse. C'était ça mon rêve.

J'ai fini par comprendre que j'étais gai, mais je gardais ça secret. Je me suis fait écœurer durant tout mon secondaire, sauf en secondaire 1. À cette époque, mon frère était en secondaire 5, il était président de l'école et la vedette de l'équipe de hockey. Je ne me suis jamais fait écœurer cette année-là.

Quand je suis arrivé en secondaire 2, mon frère était parti. Ça a commencé dès la première journée d'école. Paf ! Pif ! Paf ! Guy Labrie, mon frère, n'était plus là, j'étais devenu la tapette de service. Tous les jours, je me faisais insulter. Je n'avais pas de nom. On m'appelait « Labrie », « La tapette », « Le fif » ou même « La » fif, pas « le ». « Labrie, la fif », ça sonnait mieux, j'imagine...

On me mettait dans les poubelles ou on me ridiculisait dans les vestiaires. Aujourd'hui, quand je vois le personnage de Kurt dans *Glee* qui se fait jeter dans le conteneur à déchets parce qu'il est efféminé, c'était moi ça.

Je pense que ma sœur en a beaucoup souffert aussi. Elle se faisait crier: «Heille, t'es la sœur du fif de l'école!» Elle rentrait à la maison en pleurant. J'essayais de la consoler à ce moment-là: «Laisse-les parler, c'est des cons.» J'étais incapable de lui dire que j'étais gai. Elle a fini par me défendre devant les gars qui me traitaient de fif: «Si tu dis encore ça, je te sacre une claque en pleine face.» «Quoi, que ton frère, c'est une tapette?» Paf! Il paraît que ça l'avait gelé, le gars.

En secondaire 4, j'ai eu une sorte d'illumination durant un voyage scolaire à Paris. Les visites de Notre-Dame de Paris, du musée Rodin et du musée d'Orsay m'ont ouvert la porte du monde des arts et celle de mon garde-robe aussi. J'ai accepté que j'étais gai et j'ai décidé que je serais un artiste. Ça s'est passé en même temps: «Là, Martin, il faut que tu t'assumes, que tu acceptes ta différence, que tes parents vont réagir, que tu seras un marginal dans la société.» Les 10 jours passés à Paris m'ont permis de m'approprier mon côté extraverti et mon côté coloré.

Quand je suis revenu, j'étais changé. J'avais décidé que je m'assumais et que je voulais voir le monde. J'étais né d'un père garagiste et d'une mère maîtresse d'école, mais je voulais aller à l'opéra, au théâtre, au ballet. Et je voulais moi-même monter sur scène. À cette époque, j'avais une blonde, mais heureusement, elle m'a laissé au début de mon secondaire 5. J'avais le champ libre.

Quand j'ai fait mon coming-out, ma mère a dit: «Ça doit être pour ça que tu fais tellement de boutons.» Je faisais de l'acné quand j'étais jeune, beaucoup d'acné. Mon frère m'appelait «Pizza». J'ai répondu: «Voyons Maman, pourquoi tu dis ça?» Elle a enchaîné: «Parce que tu devais être tellement stressé. Je suis sûre que c'est à cause de ça.» Comme je faisais partie d'une compagnie de danse depuis deux ans, j'ai dit: «Ben non, ça doit être à cause du maquillage.» Quelques mois plus tard, mon acné s'était résorbée, ce qui a fait dire à ma mère: «Je te l'avais dit que c'était du stress. Tu devais te ronger l'intérieur.»

MARTIN LABRIE, 44 ANS, GAI

[S O P H I E   P A R A D I S]

Au secondaire, on commençait à parler d'homosexualité dans les cours de formation personnelle et sociale. Pour moi, c'était naturel, je n'en faisais pas de cas. Ça ne me concernait pas. Pas à cette époque-là. Je trouvais ça *cool*, je ne voyais pas de problème. «Pourquoi on en parle?»

Durant la même période, j'ai eu des chums, mais je n'étais pas vraiment amoureuse ni attirée par eux. Je pense que j'étais plus en amour avec l'amour. Mais je ne me posais pas trop de questions, j'étais plutôt Roger-Bontemps.

C'est plus tard, après l'adolescence, que j'ai vécu deux moments importants par rapport à mon orientation sexuelle.

À l'aube de mes 20 ans, je travaillais chez Giorgio dans le Village gai. Avec mes amis du restaurant, on sortait à L'Entre-Peau, l'actuel Cabaret Mado, parce que c'était ouvert à tout le monde, gais et hétéros. On allait danser, regarder les shows de *drag queens*, c'était très drôle.

Après, j'ai commencé à sortir toute seule. À L'Entre-Peau, je me sentais bien. Et c'est là, un soir, que j'ai compris ma vie d'avant au grand complet. Même si je ne m'étais jamais posé de questions! C'est arrivé aussi naturellement que soudainement.

D'abord, j'ai compris que j'étais tombée en amour avec des filles sans m'en apercevoir. J'avais beaucoup culpabilisé, aussi, de ne pas être attirée davantage par les gars. Je m'étais toujours sentie marginale, sans savoir pourquoi. Plus jeune, je m'expliquais ça d'une drôle de façon : « Ma mère est pianiste, mon père a fait des opérettes, je fais de la musique aussi, on a tous un côté artistique dans la famille. » Je croyais que ça expliquait pourquoi je me sentais différente des autres, mais il y avait quelque chose de plus fondamental.

En me retrouvant avec des gens qui me ressemblaient, c'était comme si j'étais chez moi pour la première fois de ma vie. Je me sentais comprise, je n'avais plus l'impression de parler chinois. Cette découverte-là n'a pas été dramatique. Au contraire, ça a été une révélation.

L'

autre événement qui a marqué ma vie de femme lesbienne est arrivé beaucoup plus tard et s'est échelonné sur plusieurs années. Ça a commencé alors que je travaillais à Juste pour rire, en sortant de l'école de théâtre. Je faisais de l'animation de rue et on avait demandé à plusieurs animatrices d'aller au théâtre St-Denis porter un gâteau sur la scène pour la fête de quelqu'un. Arrivées là-bas, on explique le pourquoi de notre venue. On nous fait asseoir, on attend, un peu mal à l'aise...

Tout d'un coup, il y a une belle blonde aux yeux bleu turquoise qui tourne le coin. Je suis estomaquée.

Son regard me rentre dedans. J'ai l'impression qu'il y a une connexion. Elle s'agenouille devant moi et me dit: «Il n'y en a pas de gâteau.» Je suis déjà ailleurs, hypnotisée... «Je ne sais pas qui vous a dit de faire ça, mais c'est comme ça.» Et elle est repartie.

Le même été, je l'ai revue brièvement au Saint-Denis et il y a eu encore ce regard. Ensuite, on s'est croisées plusieurs fois par l'entremise d'un groupe d'amies commun. Parfois, j'étais en couple, parfois c'est elle qui l'était. Il est arrivé que l'une manifeste son intérêt sans que l'autre soit entièrement libre... On ne pouvait pas se regarder plus d'une minute, peu importe où on était. C'était un gros coup de foudre qui a résonné pendant à peu près... sept ans!

La dernière fois, c'est elle qui a communiqué de nouveau avec moi, cette fois par courriel. J'étais sur la fin d'une relation, mais j'ai accepté de la rencontrer pour prendre un café et mettre les choses au clair. Finalement, on a parlé longtemps sans trop aborder le sujet, mais l'attirance était trop forte: on a fini par se donner le long baiser auquel on rêvait depuis tant d'années. Un baiser qui dure encore aujourd'hui...

Ça a été le deuxième moment de ma vie où j'ai eu une espèce de révélation. La première fois, à L'Entre-Peau, j'avais tout compris sur mon passé. Quand on s'est embrassées, j'ai tout compris... sur mon futur! Et, sans le savoir à ce moment-là, j'avais devant moi la femme avec qui j'allais un jour fonder une famille.

SOPHIE PARADIS, 38 ANS, LESBIENNE

En 2001, je revenais d'un voyage à Paris avec ma fille. Dans l'avion, elle m'a dit: «Maman, moi je me suis ennuyée de mon chum. Quand je vais le voir chez moi, je vais lui sauter au cou et l'embrasser. Alors, toi quand tu vas voir Laurence à l'aéroport, je t'en prie, embrasse-la. Je sais que tu t'es ennuyée. Et si tu ne le fais pas, je ne te parle plus. »

Ma fille ne se souvient plus de m'avoir dit ça. Moi, ça m'a marquée. Pour elle, ça voulait tout simplement dire: «C'est assez, arrête de te cacher. Vis ta vie ! »

Alors on est arrivées et Laurence était là… avec son frère et sa mère ! Mais je l'ai fait, je l'ai embrassée devant eux. Pour moi, ce moment-là a été le déclencheur de mon ouverture.

FRANCINE BEAULIEU, 65 ANS, LESBIENNE

Adolescente, si je faisais un rêve érotique où il y avait des filles, je me réveillais soulagée en me disant « Fiou ! C'était juste un rêve ! » Pour moi, être lesbienne était quelque chose de bizarre. Je me trouvais bien trop ordinaire pour ça.

JE VIENS D'UNE FAMILLE TRÈS TRA-DITIONNELLE : PAPA, MAMAN, TROIS ENFANTS, ON ALLAIT À L'ÉGLISE UNE FOIS DE TEMPS EN TEMPS, ON AVAIT UNE VIE DE BANLIEUE RANGÉE.

Je me disais : « Je ne suis pas bizarre, je ne suis pas *fuckée*, donc je ne peux pas être lesbienne. » À l'époque, je ne pensais pas à la bisexualité. Je ne savais même pas que ça pouvait exister.

Ensuite, le moment où j'ai vraiment compris que j'étais attirée par les femmes, c'était en secondaire 4. J'avais 15 ans. Je sortais avec Fred, mon premier chum. On était chez lui dans sa chambre, on s'embrassait, on commençait à se toucher et tout ça. C'était la première personne avec qui il se passait quelque chose. À un moment donné, j'ai passé ma main sur sa poitrine et je me suis fait une drôle de réflexion : « Ahhh, c'est vrai, y a pas de seins, lui. » Je me suis dit ça ! Je n'en revenais pas. C'était mon premier chum, il m'intéressait, je le trouvais beau, il m'attirait et là, j'ai eu cette réflexion-là. Je me suis dit « *Oh shit*, c'est vraiment étrange. »

Après Fred, je suis tombée en amour avec une fille qui s'appelait Michèle. J'ai donc fait mon coming-out comme lesbienne à ma famille. Puis, vers la fin de cette relation-là, je suis partie en voyage avec Jeunesse Canada Monde. À mon arrivée à l'aéroport, j'ai rencontré le groupe de Canadiens avec qui j'allais passer les six prochains mois. Parmi eux, il y avait un gars qui s'appelait Brad… Un grand blond aux yeux bleus. Il avait un super beau sourire. « *Oooh my God !* » Quand je l'ai vu, j'ai eu l'impression que je venais de frapper un mur invisible. J'ai perdu tous mes moyens. J'essayais de parler en anglais, il n'y avait plus rien qui sortait. En plus d'être troublée par sa beauté, j'étais complètement déstabilisée. Je me disais : « Euh… t'es pas lesbienne, toi ? Pourquoi ce gars-là te fait-il autant d'effet ? » Ça m'a complètement bouleversée, je ne comprenais plus rien.

Après ça, pendant un an ou deux, j'ai rencontré des gars et une autre fille. J'étais vraiment mêlée, mais je n'en parlais à personne : je ne comprenais pas moi-même ce qui m'arrivait. Je me torturais l'esprit : « Là, il faut que tu choisisses, c'est un ou c'est l'autre. Tout le monde fait ça dans la vie. Envoye ! » Mais au bout d'un moment, j'ai capitulé :

« JE NE CHOISIS PAS AVEC QUI JE TOMBE EN AMOUR, JE NE CHOISIS PAS QUI ME FAIT DE L'EFFET, C'EST DE MÊME. JE SUIS BISEXUELLE. »

JULIE ROBILLARD, 32 ANS, BISEXUELLE

EN SECONDAIRE 3,
J'AI EU UNE GROSSE PEINE D'AMOUR.

Je tripais sur un gars qui allait à la même école que moi, mais qui était en secondaire 5. J'étais **tellement** amoureux de lui !

Encore aujourd'hui, je pense que c'est un des sentiments les plus forts que j'ai eus pour quelqu'un. Je le voyais dans les corridors, je me cachais derrière les casiers pour le suivre. Je savais **tout** de lui. C'était un *kick* d'adolescent, un *kick* complètement irrationnel, mais pas tant que ça finalement puisqu'il était gai lui aussi.

Au début, je ne le savais pas, mais quand je l'ai su, j'ai trouvé ça extraordinaire : il est gai, je suis gai, pourquoi pas ?! Il n'y en a pas d'autres dans notre école, on est les seuls, on peut-tu s'aimer ? On peut-tu être ensemble ? Je lui ai fait une déclaration d'amour dans un courriel, j'ai tout dit ce que je ressentais. Il me connaissait parce que j'animais tous les petits spectacles de l'école et on avait quelques amis en commun. Il savait que j'étais gai parce que toute l'école le savait. Pourtant, il n'a jamais rien voulu savoir de moi ! Il m'a répondu par courriel en me remerciant pour mon honnêteté et mon courage… Il me remerciait pour mon **courage !** J'en avais eu quand même, avouons-le. Peu de temps après, quand je me suis fait un chum, je l'avais déjà oublié !

MARTIN PROULX, 26 ANS, GAI

ANNE

À Trois-Rivières, les gens ne parlaient pas de ça. Et moi, je viens d'une famille où la religion était très importante. Donc, l'homosexualité, ça n'existait pas. Quand j'étais toute petite, je me souviens avoir pensé que c'était une invention de l'esprit. Je n'avais jamais vu ça à la télé ni au cinéma. Pour moi, la vie, c'était *Papa a raison.*

C'est seulement en secondaire 5, quand j'ai fait partie d'une troupe de théâtre avec des gars qui venaient du Séminaire de Trois-Rivières, que j'ai commencé à comprendre que ça se pouvait. Mais ce n'était pas si clair. J'en entendais parler un peu, mais je ne savais pas s'ils aimaient les gars, les filles, ou les deux... Ils étaient très proches les uns des autres.

Certains étaient plus efféminés, mais pas tous. Par contre, ils étaient aussi très drôles et très talentueux. J'avais vraiment du fun avec eux et j'étais contente qu'ils soient mes amis. Et là, j'ai compris que leur orientation sexuelle ne changeait absolument rien pour moi. Je me suis même demandé: «Voyons! J'étais où, moi, tout ce temps-là? Dans les limbes? Dans le coma? Est-ce que j'ai eu un lavage de cerveau? Qu'est-ce qui s'est passé?» J'avais enfin compris que ce n'était pas une invention, ni une tare ni un péché mortel.

Plus tard, à la naissance de mes enfants, c'était clair. Je ne voulais pas qu'ils vivent ce que moi j'avais vécu: cette espèce d'obscurantisme, cette façon de nier une partie du reste du monde, des gens qui n'ont pas choisi d'être homosexuels.

ALICE

Effectivement, quand j'étais jeune, ma mère aimait nous faire comprendre «les grands messages de la vie» en nous montrant des films: *La liste de Schindler, Douze hommes en colère, Vol au-dessus d'un nid de coucou*... On en a vu plein.

LA RUMEUR

V.F. DE *THE CHILDREN'S HOUR*
WILLIAM WYLER, 1961
AVEC AUDREY HEPBURN ET
SHIRLEY MACLAINE

**Dans une petite ville de province, deux amies,
Karen et Martha, dirigent un pensionnat pour
jeunes filles. Pour se venger d'avoir été punie,
une élève insolente lance une rumeur : les deux
professeures entretiendraient une relation
homosexuelle...**

L'un des films qui m'a le plus marquée et que j'ai dû voir quatre fois en famille, c'est la version française de *The Children's Hour : La rumeur*. Chaque fois qu'on le regardait, on avait une discussion après le film. Ma mère nous rappelait qu'il y avait des gens différents autour de nous et qu'on devait les accepter. Elle nous disait surtout : « Je vais toujours vous aimer. Vous allez toujours être acceptés dans cette famille. »

ANNE

J'avais eu plein de témoignages de mes amis gais qui avaient fait leur coming-out sur le tard et d'autres qui ne l'avaient pas fait encore parce qu'ils avaient peur de la réaction de leurs parents, de leur faire de la peine ou d'être rejetés par eux.

Être rejeté de sa propre famille, c'est à peu près la pire chose qui puisse nous arriver. Être rejeté de ses amis ou de ceux qu'on pensait ses amis, c'est une chose, mais être rejeté de son sang, de ceux qui nous ont mis au monde, il n'y a rien de pire comme douleur.

Je suis contente d'apprendre que *La rumeur* a marqué Alice. Moi, ça m'avait bouleversée. C'était révolutionnaire pour l'époque. Ils ne nommaient rien. On ne voyait pas les femmes s'embrasser. Mais on savait très bien de quoi il s'agissait.

Je l'ai montré à mes enfants non pas parce que je soupçonnais quoi que ce soit chez Alice, mais parce que je voulais leur donner une ouverture d'esprit. Je souhaitais aussi parler d'injustice avec eux, parce que c'est un sujet qui m'obsède. Je voulais qu'ils développent leur compassion. Qu'ils soient intelligents, sensibles, capables de défendre ces valeurs-là un jour.

ALICE

Les premières fois qu'on a vu *La rumeur*, je l'ai pris comme n'importe quel autre film que tu nous montrais. Mais la dernière fois, j'avais 14 ou 15 ans et là, je commençais à comprendre que je ne *fittais* pas dans le moule et que c'était peut-être lié à ça. Donc, durant la discussion qui a suivie, j'étais un peu plus gênée…

Quand Alice m'a dit qu'elle était attirée par les filles, je m'en doutais. Depuis qu'elle a huit ans, je le savais, je le voyais bien. Mais je me disais: peut-être que je me trompe.

Je me souviens d'un voyage en Guadeloupe. Elle avait beau porter une robe (elle détestait porter des robes), les madames créoles m'obstinaient: «Mais non, c'est un garçon!» Ça me choquait tellement: «Ben là! Je vous le dis que c'est pas un garçon. C'est une fille.
— Ah! Non, non, non! Regardez sa démarche.
— Heille! Voyons! Fermez-la! Je suis sa mère. Je peux-tu vous le dire, moi, que c'est une fille? Voulez-vous que je lui baisse les culottes?»
J'avais envie de leur mettre mon poing dans la face tellement je souffrais pour elle... mais Alice n'en souffrait pas tant que ça!

Effectivement, ça ne me dérangeait pas vraiment. Aujourd'hui, maintenant que j'ai des seins et que je n'ai plus l'air du petit gars dont j'avais l'air à huit ans, là ça me dérange. Plus jeune, je ne faisais rien pour m'aider non plus. C'est comme ça que j'aimais m'habiller.

Tu étais toi-même! Je trouvais ça courageux. J'étais tellement admirative de ça. Tu tenais ton bout. Reste que c'était un peu désespérant aussi. On allait chez le coiffeur et elle disait: «Je ne veux pas avoir de frange. Je veux avoir les cheveux courts, mais je ne veux pas avoir l'air d'un garçon.» Je lui répondais: «Il n'y a pas 36 000 solutions. Dégage ton front. Mets-toi une barrette, quelque chose!» C'est juste si elle ne vomissait pas... Ça se pouvait pas! Une pince à cheveux? C'était la crise.

On renforce tellement de préjugés, Maman... C'est terrible!

Mais t'étais comme ça!

Ben oui, je le sais.

J'étais désespérée parce que je souffrais pour elle.

C'était un cercle vicieux parce que ça me dérangeait de me faire traiter de petit gars à l'école et de me faire dire par les filles « Non, tu n'es pas assez fille pour jouer avec nous », mais ça me dérangeait moins que de devoir…

… te travestir.

Oui, vraiment. Et c'est ça que tu ne comprenais pas.

Je comprenais, Alice. Et c'est ça, justement, que je trouvais courageux. C'est pour ça que je t'ai donné des trucs clairs. Quand ni les petits gars ni les petites filles voulaient jouer avec elle, je lui disais : « Apporte un livre, sois occupée à la récréation. N'aie pas besoin d'eux. S'ils ont besoin de toi, ils viendront vers toi, mais arrange-toi pour être occupée. Des livres, des bandes dessinées, du dessin, n'importe quoi. »

LE COMING-OUT

Le coming-out d'Alice a eu lieu durant un party de famille, le soir de Noël. J'étais moi-même en peine d'amour à ce moment-là. Je pleurais sans arrêt. Mettons que ça allait pas ben...

Ahhhh! J'ai tellement le sens du *timing*!

Elle a commencé par me dire: «T'es pas toute seule, moi aussi je suis en peine d'amour.» Sur le coup, j'ai été saisie parce que je ne savais même pas qu'elle était en amour avec quelqu'un. Comme je ne voulais pas la brusquer — peut-être qu'elle n'est pas lesbienne après tout, me disais-je —, j'ai eu le réflexe de lui demander: «C'est qui ce gars-là? Est-ce qu'il y a moyen de lui parler?» Et elle m'a lancé: «Elle ne peut pas m'aimer parce qu'elle aime les garçons!»

Avec une toute petite phrase, j'apprenais deux choses en même temps: l'objet de son amour était une fille, donc ma fille me confirmait qu'elle était lesbienne, et en plus, elle était en peine d'amour parce que l'autre fille, elle, était hétéro. J'ai arrêté de pleurer d'un coup. Je n'avais plus de peine d'amour, je n'avais plus rien, j'étais figée. Elle avait 15 ans et je me disais: «Mon Dieu qu'elle a du *guts*, elle a tellement plus de cran, de courage que moi j'en avais à son âge.»

J'étais très admirative de ça. C'est ce que je voulais en ayant des enfants: qu'ils soient meilleurs que moi. Et ce soir-là, j'en avais la preuve. Je me disais qu'elle allait être un modèle pour son jeune frère aussi. Pour d'autres gens de son âge, pour d'autres générations.

Je repensais à ma première peine d'amour, à 15 ans. J'étais amoureuse d'un garçon qui ne voulait rien savoir de moi et qui était amoureux d'une joueuse de tennis qui était tellement populaire, tellement belle, tellement tout! Ça m'a pris deux ans à m'en remettre.

Moi aussi, ça m'a pris un an et demi.

Moi, c'est effrayant tout ce que j'ai fait pour lui plaire. Je suis rentrée dans son club de plein air, j'ai fait de l'escalade parce qu'il en faisait.

> Moi, j'écoutais le hockey parce qu'elle écoutait le hockey. En plus, j'ai appris le nom des joueurs par cœur.

T'es pas sérieuse?

> Tu sais, ma période Komisarek et Kovalev...

Ben voyons!

> C'est parce qu'elle aimait le hockey.

Mais t'es ben niaiseuse! Je pensais que t'aimais le hockey!

> Je ne me suis pas inscrite dans un club de hockey, moi. Je l'écoutais seulement.

Mais je pensais que tu tripais sur le hockey!

> Vraiment pas. Je détestais ça! Repenses-y: je n'ai jamais écouté le hockey après.

Mais voyons! Je t'avais donné le chandail de Kovalev.

> Elle était bien impressionnée d'ailleurs. Ça a bien marché!

Mon Dieu, ça se peut pas! J'en apprends des affaires. Comme quoi, par amour, on fait toutes sortes de choses... Et elle, est-ce que tu lui as dit ce que tu ressentais pour elle?

> Non. Tout le monde était au courant, elle aussi. Mais ça a toujours été du non-dit. Au bal, j'ai brièvement abordé le sujet : « En tous cas, tu as été vraiment cool de ne pas faire une histoire avec ça. » Elle a dit quelque chose comme : « Tu as marqué mon secondaire et ça a été cool de t'avoir dans mon entourage. » Sinon, on ne s'en est jamais parlé davantage.

Jamais?

> Non.

Tu ne lui as jamais fait de déclaration?

> À quoi ça aurait servi? Je savais qu'elle n'était intéressée ni par moi, ni par les filles en général. Mais elle était assez fine pour ne pas faire exprès de parler de son chum devant moi. Aussi, quand je faisais des petits trucs *cutes* pour elle, elle était super *sweet*. Ses amies avaient parfois des petits commentaires…

Elles n'étaient pas fines avec toi, ses amies?

> Non, elles essayaient seulement de me faire cracher le morceau alors que tout le monde le savait, c'était évident. C'était un secret de Polichinelle, mais elle a vraiment été correcte.

Au fond, quand elle a fait son coming-out, tout ce que je voulais, c'est qu'elle ait des amies et qu'elle ne pleure pas toute seule dans son coin parce qu'on la pointait du doigt ou qu'on essayait de l'isoler. Au bout d'un moment, elle m'a dit: «Au contraire, je m'assume tellement que je suis devenue populaire à l'école. Je me suis fait des amies, je suis bien entourée, je fais partie d'une troupe de théâtre. Je suis toute seule de ma gang à être lesbienne, mais tout le monde s'en fout.» Et je trouvais ça formidable.

C'est là qu'on voit que les mentalités changent. Il y a eu une évolution quand même, une évolution très importante, de l'enfance de ma mère à mon enfance à moi et à son enfance à elle. La religion prenait tellement de place. On revient de loin au Québec. Il y a maintenant toute une partie de la société qu'on respecte davantage et qui a droit au bonheur, comme tout le monde.

Parce que pour moi, c'est ça le bonheur: pouvoir dire qui on est et trouver l'amour, quel qu'il soit.

ANNE DORVAL, HÉTÉROSEXUELLE
ALICE DORVAL, LESBIENNE

À l'Université libre de Bruxelles où j'étudiais, il y avait une fille qui s'appelait Myriam.

Myriam, elle était *out*.

Myriam, elle avait l'air tellement bien dans sa peau.

Myriam, elle jouait de la guitare au coin du feu. On avait des amis communs, et elle nous chantait des chansons qu'elle avait composées et qui parlaient de deux femmes qui s'aiment.

Oh my God que je la trouvais donc *hot* !

Mais je n'étais pas du tout en amour avec elle. J'étais surtout émerveillée : « Wow ! Elle, elle l'a l'affaire ! Elle a l'air à se foutre complètement de ce que les gens pensent. » C'était impressionnant pour moi à cette époque-là. On était au début des années 90, j'avais à peine 20 ans et je venais tout juste de faire mon propre coming-out à mes parents. Le message que Myriam m'envoyait était clair : c'est possible d'être *out* sans perdre tous ses copains.

Elle a été mon premier modèle positif de lesbienne.

MARIE HOUZEAU, 44 ANS, LESBIENNE

Je n'écris pas de lettres d'amour à mon chum. Mais tous les matins, s'il n'est pas levé quand je pars, je lui laisse un petit mot d'amour sur le comptoir. Pis, pas juste deux becs ! Et pour chaque anniversaire ou à Noël, je n'achète pas de carte. Je la fais moi-même et j'écris un mot à la main à l'intérieur. C'est mon vieux fond romantique.

Je ne compose pas un poème chaque matin, mais j'essaie d'être original et d'aller au-delà du « Bonne journée mon amour ! » Même quand je suis pressé, je laisse un petit mot systématiquement, même si c'est court. Peut-être que si je ne le faisais pas un matin, il ne s'en rendrait pas compte, mais pour moi, même après 17 ans, c'est important.

PHILIPPE SCHNOBB, 50 ANS, GAI

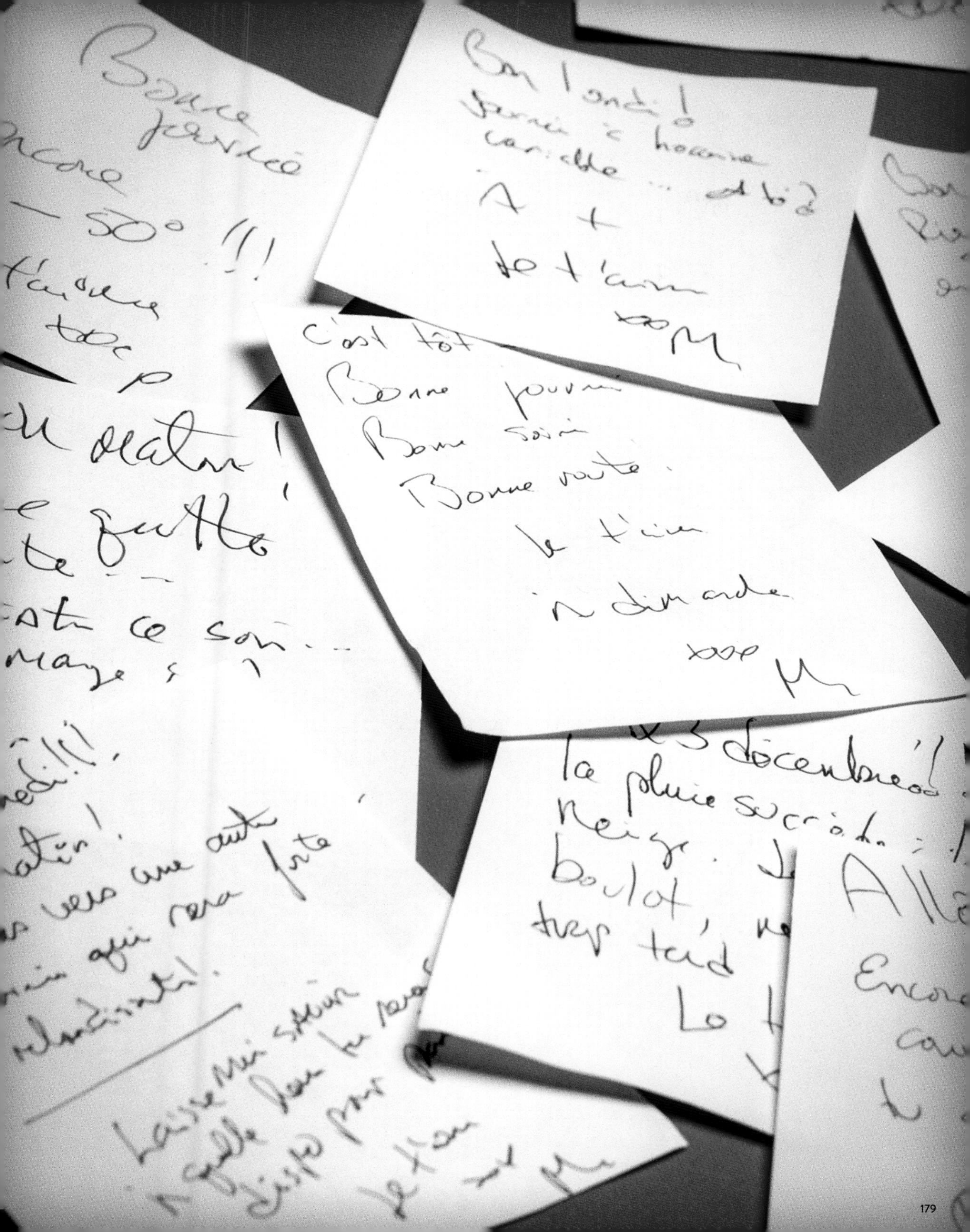
A +
Bonne route.
la pluie
boulot
trop tard

Quand on me demande comment j'ai su que j'étais lesbienne, je réponds que ça a commencé par un énorme coup de foudre… pour une femme! Le seul hic, c'est que j'étais déjà en couple avec un homme depuis plusieurs années et mère de trois jeunes enfants.

Aujourd'hui, quand je repense à l'inconfort que j'ai vécu toute ma vie quand je partageais une intimité physique avec des hommes, je me rends compte que c'était évident que j'étais lesbienne. Mais à 33 ans, quand ça m'a frappée de plein fouet, je n'avais jamais rien vu venir.

Certains gais et lesbiennes que je connais ont fait un coming-out aussi tardif que le mien, mais ils avaient passé une partie de leur vie dans le déni, à ne pas vouloir assumer leur homosexualité. Moi, ce n'est pas que je ne *voulais* pas être lesbienne, c'est tout simplement que je ne savais pas que je *pouvais* être lesbienne. J'avais cherché les raisons pour lesquelles je ne me sentais pas bien dans mes relations, mais je n'avais jamais trouvé de réponses.

Au lieu d'une réponse, j'ai eu un coup de foudre pour Franca, que j'ai connue en commençant un nouvel emploi.

Ma mère dit que je suis quelqu'un d'intuitif. C'est vrai qu'en général, je ne réfléchis pas longtemps avant d'agir. La plupart du temps, je me lance et je réfléchis après coup. Des fois, c'est bon. D'autres fois, c'est moins bon. Cela dit, si j'avais été une personne très réfléchie comme Franca, on ne serait pas ensemble aujourd'hui parce que c'est moi qui lui ai tendu une perche. Elle, elle ne l'aurait jamais fait.

J'ai remarqué Franca dès le début. Elle me fascinait. Si elle était assise près de moi ou qu'elle m'effleurait en passant, je ne savais plus ce qui venait de se passer. Je n'écoutais plus. J'étais trop occupée à me dire : «Wow! Ayoye! Quelle femme fantastique! Mon Dieu, qu'est-ce qui m'arrive?» J'essayais de sonder son regard pour comprendre si elle ressentait la même chose que moi. J'ai toujours été certaine que la connexion allait dans les deux sens. C'est pour ça qu'un jour, j'ai osé aller vérifier. Mais j'ai beau être «intuitive», cette décision demandait quand même un minimum de réflexion!

J'avais trois enfants et un conjoint depuis plusieurs années. Franca était mariée. On avait chacune notre vie, notre routine. Je me questionnais : «Qu'est-ce qui m'arrive? Pourquoi je me sens comme si j'avais 15 ans?» Quinze ans, l'âge où tu as *vraiment* le goût d'aller parler à quelqu'un qui te plaît. Le matin, dans le métro, je me cherchais une excuse pour aller lui parler, dans la journée, ne serait-ce que pour la saluer. Chaque jour, il fallait que je trouve une raison d'aller la voir.

Un jour, j'ai décidé de lui écrire :

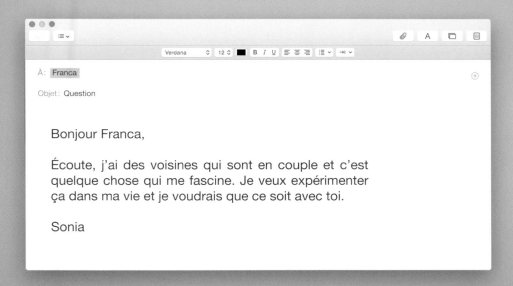

C'était ça mon courriel envoyé le 11 mai 2003. Je ne l'oublierai jamais.

J'avais eu beau réfléchir autant que je pouvais, mon attirance était tellement forte que j'ai fini par cliquer sur Envoyer. Tout de suite après, la peur m'a envahie : «Ah, mon Dieu, qu'est-ce que je viens de faire là ?!» Dans mon énervement, je me suis demandé : «Est-ce que je l'ai bien envoyé à *elle* ?» Peur panique ! Peut-être que j'avais machinalement tapé le courriel de mon patron à qui j'envoyais souvent des messages ! J'étais encore en période d'essai. Pas certaine que j'aurais conservé mon emploi si j'avais fait cette gaffe-là...

Mais Franca ne me répondait pas. En tous cas, pas assez vite à mon goût. J'ai décidé de l'appeler :
«As-tu reçu mon courriel ?
— Oui.
— Et ?
— Ce sont des choses dont on devrait discuter face à face. Viens dans mon bureau.»

Une fois devant elle, j'étais rouge comme une tomate. J'avais 15 ans, vraiment ! Elle m'a dit très calmement : «Tu es une très belle femme, je te trouve magnifique. Depuis que tu travailles ici, j'ai remarqué qu'il y a beaucoup de gens qui se retournent sur ton passage, des hommes ou des femmes. Mais malheureusement, tu ne m'intéresses pas.» Elle m'a dit ça comme ça ! Dans ma tête, je persistais à croire : «Non, ça ne se peut pas. Je l'ai sentie la connexion dans ses yeux.» Mais elle n'a rien rajouté, et je suis repartie à mon bureau, «la queue entre les deux jambes», comme on dit.

Dans les semaines qui ont suivi, le hasard a fait que j'ai été jumelée avec elle pour apprendre de nouvelles tâches. Beau hasard ! On a bien travaillé, j'ai même réussi à terminer mes dossiers mais mentalement, je n'étais pas là. À la maison, mes enfants devaient répéter plusieurs fois quand ils me parlaient. Dans le métro, j'accrochais tout le monde. J'avais juste elle en tête. Elle m'habitait.

Le 13 juin, Franca m'a fait venir dans son bureau. Je pensais que c'était pour le travail. Et là, elle m'a avoué que, depuis mon fameux courriel, elle était complètement perturbée. Depuis des semaines, elle rentrait chez elle sans se souvenir comment elle était revenue du travail.

Elle avait beaucoup réfléchi elle aussi et elle ressentait la même chose que moi. Elle n'avait pas d'enfant, mais elle avait beaucoup de contraintes sociales et familiales — elle est l'aînée d'une famille italienne très traditionnelle.

On est allées en parler dans un bar. On se frôlait le petit doigt et on surveillait les alentours en se demandant : « Est-ce qu'on a le droit ? Est-ce qu'on peut faire ça ? » Et c'est à partir de ce moment-là qu'on a commencé à se découvrir ensemble.

Pour moi, c'est devenu clair dans ma tête que j'étais homosexuelle dès la première fois où on a eu une relation intime. Je pensais : « Ah ben tabarouette, c'est ça ! Câline que c'est le fun ! Heille, c'était ben plate avant ! » On découvrait tout en même temps. On n'avait jamais couché avec une fille, ni l'une ni l'autre. C'était vraiment comme si on était toutes les deux à l'adolescence.

On commençait une deuxième vie.

Depuis, on s'est mariées et on a eu notre petite Sabryna. On a aussi vécu bien des bouleversements et surmonté de nombreuses embûches. Quand je vois l'amour profond qu'on ressent toujours, je me dis : « On est bonnes ! Il fallait vraiment qu'on s'aime énormément pour qu'on soit encore aussi heureuses aujourd'hui ! »

Mais je continuerai toujours de me demander pourquoi ça m'aura pris autant de temps à découvrir que j'étais lesbienne.

SONIA TREMBLAY, 46 ANS, LESBIENNE

En Algérie,
ma mère était
une féministe
avant l'heure.
Elle a enlevé
le voile à 19 ans.

Gros scandale
dans la famille,
énorme scandale.

C'était dans les années 50.

Elle a passé ses examens, obtenu une bourse et est partie à Alger, la capitale, à six heures de route, pour faire ses études à l'université où il n'y avait que cinq femmes arabes. Tous les autres étudiants étaient européens ; il y avait aussi quelques hommes arabes. C'est là-bas qu'elle a rencontré mon père, et ils ont eu un coup de foudre. Ma mère a écrit une lettre à sa mère : « J'ai rencontré l'homme de ma vie, il va te demander ma main, tu vas dire oui. »

Aujourd'hui, quand ma mère me lance : « Toi vraiment, tu as des couilles solides pour avoir osé faire ton coming-out », je lui réponds que je n'avais rien inventé.

Pourtant, quand j'ai annoncé à mes parents que j'étais gai, ma mère avait un tout autre discours : « Mais Hakim, tu aurais pu rester marié et avoir une deuxième vie *on the side* avec les hommes. » Ce à quoi je lui ai répondu : « Si ce que tu dis est vrai, peut-être que Papa aurait dû épouser la femme que sa mère avait choisie pour lui et toi, tu aurais pu être la concubine, la maîtresse *on the side*. » Et là, ma mère a compris !

Quelques années plus tard, alors qu'on était en voiture tous les deux, elle m'a confié : « Tu sais, au début, quand tu m'as annoncé que tu étais gai, je me disais : "Ça y est, il est foutu. Il va avoir une vie sans valeur, dans la drogue, la maladie, une histoire noire." Aujourd'hui, je vois ta vie et il y a des fois où je la souhaite à d'autres personnes qui ont une vie de merde. Parce que vraiment, tu as une des plus belles vies. »

HAKIM, 50 ANS, GAI

MAI 76

J'ai 17 ans.

Ce jour-là, il y a une grande fête pour célébrer la fin de la session au cégep que je fréquente.

Tout le monde est excité par la fin des cours et l'été olympique qui s'annonce.

Mais ma fébrilité à moi a une tout autre raison.

Jeff est un étudiant avec lequel je me suis lié d'amitié depuis l'automne.

On passe de longs moments à jaser, à rire, à ne rien faire, mais à mes yeux, notre relation déborde du simple sentiment d'amitié.

Je tombe en amour avec lui.

N'écoutant que mon courage et mes désirs grandissants à son égard, j'ose jeter sur papier mon aveu, mon amour, sans savoir si l'attirance est réciproque.

Dans ma lettre, je prends soin de laisser toutes les portes ouvertes, je ne veux rien brusquer.

Je ne sais même pas si son cœur – et le reste – penchent vers les garçons.

Comme je crains de l'effaroucher et de perdre son amitié, j'écris que je partage avec lui mes sentiments sans aucune attente, pour mettre les choses au clair.

J'espère quand même un peu que ses penchants s'apparentent aux miens et qu'il viendra vers moi.

Je prends la peine de bien lui expliquer que s'il n'a pas les mêmes désirs que moi, ça ne changera rien à notre complicité.

Je conclus en écrivant que j'aurai au moins eu le courage de me présenter à lui tel que je suis et que si, par bonheur, ses sentiments ressemblent aux miens, mes bras lui seront ouverts.

Je me souviens comme si c'était hier du moment où je sors de la poche de mon pantalon à pattes d'éléphant ce petit bout de papier précieux tout plié, ma lettre d'amour, que je lui remets en disant simplement : « Lis ça et à demain, Jeff. »

Le lendemain, il est midi, le soleil plombe sur la pelouse du campus.

Je vois l'objet de mon amour marcher sur le boulevard en direction du collège.

Nos regards se croisent brièvement.

Je lève le bras pour le saluer, mais son regard est déjà ailleurs.

Il se dirige vers l'entrée du collège en m'évitant.

Je tente de me convaincre qu'il ne m'a pas vu.

Durant les longues heures de l'après-midi et jusqu'au coucher du soleil, j'essaie de le croiser, de le rencontrer, mais il m'évite constamment jusqu'à devenir introuvable.

Je voudrais lui redire que la dernière chose que je souhaitais, c'était de perdre son amitié.

Je pleure.

Je tombe *de* l'amour.

La vie fait qu'on ne se revoit plus.

Durant des années, je ne peux pas croire à son jugement, à sa condamnation.

Je m'explique son recul par la peur.

Trente ans plus tard, je croise Jeff lors d'un spectacle.

Mon cœur d'adolescent se remet à taper dans ma poitrine.

Je m'élance, ou plutôt je me garroche sur lui.

Je le prends dans mes bras, le serre fort et lui lance à coups de grosses tapes dans le dos : « Jeff ! Jeff ! Je suis donc content de te voir ! Ça fait tellement longtemps, comment tu vas ? »

Les lumières de la salle se tamisent, le spectacle va commencer. « On se revoit à l'entracte ?

– Oui, oui… », qu'il me répond.

Je ne l'ai jamais revu.

Je ne l'ai jamais oublié.

Je n'ai jamais oublié son recul.

Je n'ai jamais oublié sa peur.

RENÉ RICHARD CYR, 56 ANS, GAI

Je suis avec ma blonde depuis quatre ans et demi. Quand on est en famille, je ne me cache pas pour l'embrasser ou pour la serrer dans mes bras. Je suis même plutôt colleuse.

Aujourd'hui, tout le monde s'en fout autour de nous, c'est fou ! Même moi, je n'y pense plus. Il y a des fois où j'oublie que je suis lesbienne. J'oublie que ce n'est pas la norme. Ma blonde et moi, on se le dit des fois : « Heille, on est *gaies* ! » On doit se le rappeler tellement que c'est rendu naturel, en tout cas dans nos familles.

Mais ce n'est pas vrai partout.

Depuis mon coming-out, il m'est arrivé à trois reprises que des gars passent un commentaire alors que je montrais un signe d'affection à ma blonde en public : « Allez les filles, embrassez-vous, vous êtes belles. J'aime ça vous regarder. » Dans les endroits où ce genre de choses peut arriver, on ne s'embrasse pas parce qu'on n'a pas envie d'être l'objet du désir des gars. Au Centre Bell, je n'embrasserais pas ma blonde. On a une sorte de limite. On n'a pas besoin de se le dire, on le sent. Dans ce temps-là, on s'en rappelle qu'on est lesbiennes.

SOPHIE LAFOREST, 31 ANS, LESBIENNE

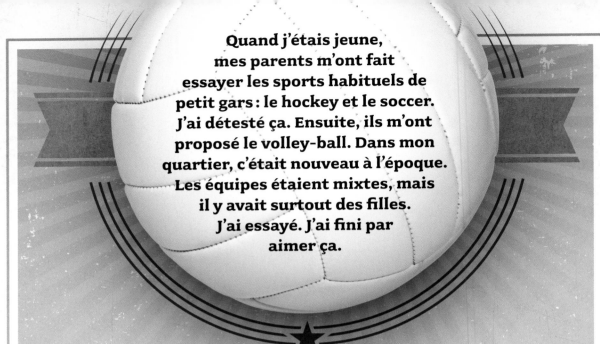

Quand j'étais jeune, mes parents m'ont fait essayer les sports habituels de petit gars : le hockey et le soccer. J'ai détesté ça. Ensuite, ils m'ont proposé le volley-ball. Dans mon quartier, c'était nouveau à l'époque. Les équipes étaient mixtes, mais il y avait surtout des filles. J'ai essayé. J'ai fini par aimer ça.

Une fois au cégep, j'ai embarqué dans l'équipe de volley-ball intercollégiale. Ça a commencé à être moins drôle. Au volley-ball, comme dans la plupart des sports d'équipe masculins, on *s'encourage* en criant « *Let's go* les gars, on arrête de jouer comme des tapettes ! » Le moindre ballon manqué pouvait faire dire à l'entraîneur : « Faites-moi pas des attaques de fifs. »

Comme je me savais gai, mais que j'étais encore dans le fin fond de mon garde-robe, j'avais peur de rater le ballon parce que j'imaginais que quelqu'un allait découvrir que j'étais gai. Plus j'avais peur, plus je manquais mes services, mes attaques, mes réceptions. Mon amour du sport a fini par être écrasé par ma nervosité. En 1985, j'avais environ 18 ans, j'ai arrêté de jouer.

En 1992, cinq ans après mon coming-out, j'ai lu dans le magazine *Fugues* qu'il existait une ligue de volley-ball gaie. J'étais intrigué : « Pourquoi des gais jouent-ils ensemble au volley-ball ? Est-ce qu'ils se pognent les fesses sur le terrain ? Est-ce qu'il se passe des affaires dans les vestiaires ? » J'y suis donc allé une première fois, un peu à reculons, en me disant que j'aurais juste à partir si j'étais mal à l'aise.

Wow ! Les entraînements étaient sérieux et exigeants, mais j'ai surtout constaté que plus personne ne se traitait de tapette ou de fif. J'étais juste entouré d'amateurs de volley-ball qui, comme moi, avaient envie de jouer sans subir l'ambiance homophobe habituelle des sports d'équipe. Quelle différence incroyable ! Quelle délivrance ! L'autre surprise que j'ai eue : petit à petit, je suis devenu un bien meilleur joueur. Sans la peur d'avant, ma confiance en moi et mes capacités physiques ont pris le dessus.

Toutes les équipes de ma ligue étaient inscrites à la Ligue de volley-ball récréatif de Montréal. Presque chaque mois, on jouait pendant toute une journée contre des équipes d'autres ligues. On était les seules équipes gaies.

Je me souviens des rires moqueurs, des commentaires désobligeants qu'on entendait de l'autre côté du filet. On était les fifs qu'il fallait battre. Qu'ils *allaient* battre, c'est sûr. Mais comme on s'entraînait deux fois par semaine, c'est plus souvent nos équipes qui gagnaient que le contraire !

Parfois, quand on l'emportait, certains joueurs ne voulaient même pas nous serrer la main. Ils avaient honte d'avoir perdu contre nous. Nos victoires leur apprenaient aussi une chose qu'ils n'avaient jamais pu imaginer : des gais, ça peut être bon dans les sports.

C'est à partir de ce moment-là que j'ai compris l'impact qu'on peut avoir quand on est ouvertement gai. Le pouvoir de l'authenticité. En étant nous-mêmes, joueurs de volley-ball *et* gais, et surtout en s'affichant à plusieurs, *en équipe*, on faisait changer les mentalités par rapport à l'homosexualité.

Un gai tout seul dans une équipe d'hétéros aurait peut-être eu un effet sur leur façon de nous percevoir. Mais plein de gais *ensemble*, qui s'amusent, qui jouent bien et qui accumulent les victoires par-dessus le marché, ça frappait pas mal plus fort dans les préjugés.

Avec les années, on a gagné le respect de la grande majorité de nos adversaires. À l'occasion, des joueurs hétéros d'autres équipes nous demandaient s'ils pouvaient jouer avec nous, même s'ils n'étaient pas gais. On les accueillait avec plaisir. Ils voyaient qu'on avait du fun, qu'on était une belle gang. Ils avaient bien raison.

Notre ligue faisait aussi partie de la North American Gay Volleyball Association (NAGVA). On a fait des compétitions à New York, à Baltimore, à Toronto, en plus d'organiser notre propre tournoi NAGVA annuel. L'ambiance était géniale ! Le calibre était fort aussi. Ouf ! Là, on ne gagnait pas aussi souvent. Mais mon Dieu qu'on a eu du fun à faire ces tournois-là ! C'était vraiment une belle période dans nos vies. On s'est tous fait des amis un peu partout en Amérique du Nord. J'en revois certains encore aujourd'hui, même 20 ans plus tard. Je n'oublierai jamais ces années-là.

ROBERT PILON, 47 ANS, GAI

À 15 ans, quand j'ai fait mon coming-out, en Allemagne où j'ai grandi, je ne pensais pas pouvoir adopter d'enfant un jour. Jusqu'à l'âge de 30 ans, je n'ai pas voulu d'enfant. C'est dans la trentaine que l'envie d'en avoir a commencé.

Mon ex-conjoint et moi avons immigré ensemble au Québec en 2008. Il est Français. On a été ensemble pendant 13 ans. Ici, on a commencé les procédures d'adoption assez rapidement parce qu'on s'est aperçus que c'était possible pour les couples de même sexe. C'était un projet commun. Au bout d'un an et demi, on a accueilli Rebecca chez nous. Elle avait deux mois.

Aujourd'hui, on a beaucoup d'amis avec des enfants. Des amis gais, lesbiennes et hétéros. Donc, à cinq ans, Rebecca a des amis qui ont deux papas, deux mamans ou une maman et un papa. Pour elle, c'est normal que les familles ne soient pas toutes pareilles. Elle voit aussi des familles où, par exemple, le père est blanc et la mère est noire. Elle a même une amie qui a seulement une maman parce que le papa n'est pas présent.

Mais à l'occasion, elle pose de petites questions.

Un jour, sa cousine de France était ici en visite. Elle a un an de plus que Rebecca et elle était dans sa phase « Moi, j'étais dans le ventre de ma maman ! » Rebecca est venue me demander : **« Mais moi, j'étais où ? »** Je lui ai répondu : « Tu étais dans le ventre de ta mère – pas ta maman, mais ta mère – qui s'appelle Cindy. Et nous, on t'attendait avec impatience, on était très heureux quand tu es arrivée. » Elle est vite repartie en courant vers sa cousine : **« Moi aussi, j'étais dans un ventre ! »** Et c'était tout ce qu'elle voulait savoir.

ZVEZDAN KUHAR, 41 ANS, GAI

Durant ma première campagne électorale, en 2007, un animateur de radio au Saguenay, Louis Champagne, avait dit pendant son émission du matin : « Gaudreault qui se présente dans Jonquière ? C'est une ville de travailleurs, des gars d'usine... Ils ne voteront jamais pour une tapette ! Boisclair, c'est une tapette aussi. Ils ne voteront pas pour un club de tapettes. » Ça avait fait un scandale ! J'avais reçu beaucoup de témoignages de soutien. Et ça avait aussi donné lieu à mon premier coming-out public.

En conférence de presse, dans mon local électoral, un journaliste de TVA m'avait demandé comment je réagissais aux propos de Louis Champagne. J'avais répondu : « Moi, je vous le dis, je suis homosexuel, je vis avec un homme et ça va très bien, mais ce que je trouve particulièrement méprisant, ce sont ses propos à l'égard des travailleurs d'usine. C'est comme s'il disait que parce qu'ils gagnent leur vie dans une usine, ils ne sont pas ouverts. Qu'ils ne seraient pas capables de voter pour un candidat gai. »

Le soir même, il y a eu un vox pop sur le sujet à la télé. TVA s'était placé devant l'usine d'Alcan et avait interviewé les travailleurs qui en sortaient. Il n'y en avait pas un pour qui c'était un problème. Pas un ! La théorie de Champagne était complètement démantibulée. Un homme d'affaires du coin avait même pris ma défense dans le journal : son fils était gai, et il trouvait ça inacceptable qu'un animateur de radio affirme une chose pareille. Louis Champagne a été sorti des ondes pour le reste de la campagne électorale.

Plus tard, dans un bar gai au Saguenay, un gars qui avait été marié à une femme est venu me voir pour me dire que mon histoire l'avait beaucoup aidé dans l'affirmation de son homosexualité. Il s'était dit : « Si lui est capable de le faire publiquement comme candidat, je suis capable de le faire moi aussi. »

Un événement semblable est survenu plus récemment quand j'étais ministre. Peu de temps après avoir perdu les élections en 2014, on a fermé le cabinet. Un jeune étudiant est venu laisser une lettre au bureau en même temps que d'autres passaient me saluer une dernière fois.

Dans sa lettre, qui m'avait énormément touché, il m'expliquait qu'il avait suivi et apprécié mon travail de ministre… sans même savoir que j'étais gai. Il l'avait appris avec surprise en visionnant l'émission *Tout le monde en parle*, durant laquelle j'en avais parlé ouvertement avec Dany Turcotte.

Curieusement, le fait de ne pas savoir que j'étais homosexuel et de comprendre qu'au fond, dans mon travail, j'étais comme tout le monde, que je remplissais mes tâches ministérielles de façon responsable, ça l'avait aidé à s'affirmer comme gai. Un peu comme s'il s'était dit : « On peut faire tout ça, on peut avoir une *job* de même et être gai. »

Jusque-là, je n'avais jamais imaginé que, comme homo-sexuel, on pouvait susciter ce genre d'effet-là. Sans rien faire de particulier. Juste en étant soi-même.

SYLVAIN GAUDREAULT, 44 ANS, HOMOSEXUEL

MON SOUVENIR LE PLUS FRANC REMONTE À LA MATERNELLE.

Thérèse, notre professeure, nous avait posé une question troublante. Quand j'y repense, il me semble que sa question n'avait pas de bon sens, mais elle nous a vraiment demandé : « Pour qui seriez-vous prêts à mourir ? »

On avait cinq ans.

À tour de rôle, on répondait. Les élèves les plus flagorneurs lançaient des : « Toi, Thérèse. » D'autres y allaient spontanément : « Ma mère ! »

Arrivé à moi, j'ai regardé Philippe droit dans les yeux et j'ai dit :

"Philipp

Ce n'était même pas mon ami, mais sa beauté me bouleversait. Je peux encore entendre le son de ma voix qui prononce son nom : c'était tellement romantique et amoureux ! Je ne m'étais pas censuré ; j'avais seulement laissé parler mon cœur. À ce moment précis, c'était pour lui que j'étais prêt à mourir.

Dans mon souvenir, je pense que ça détonnait un peu des autres enfants…

SIMON BOULERICE, 33 ANS, GAI

DES TOUTOUS !
LE PLUS POSSIBLE, ET LES PLUS GROS !

Sonia Tremblay

J'adore la science-fiction: *Star Wars, Star Trek, Battlestar Galactica.* J'ai encore ma collection de 500 figurines !

Alex Perron

Quand j'avais 4 ou 5 ans, à Calgary, j'avais des *chaps*, un harnais, deux pistolets et un jeu qui s'appelait *Hands Up Harry*. C'était une cible en forme de cowboy, et quand on visait juste, ses bras levaient dans les airs.

David Platts

J'aimais revirer mon tricycle à l'envers et faire semblant que je conduisais un autobus.

Francine Beaulieu

Moi, j'aimais les voitures électriques. **Je tripais sur les chars.** Je m'assoyais au volant de l'auto de mes parents et je voulais conduire, je trouvais ça le fun. Et j'ai même pas de permis à 25 ans !

Martin Proulx

Même enfant, j'aimais les disques. J'étais allée à Burlington avec mes parents, et ils m'avaient demandé : «Que veux-tu rapporter comme souvenir?» J'avais choisi un 33 tours des Chipmunks.

Monique Giroux

J'AVAIS UN IMMENSE VILLAGE DE **SCHTROUMPFS**. ÇA FAISAIT UN ENSEMBLE AVEC MES LEGOS ET MES PLAYMOBIL.

Olivier Vallerand

DES MECCANO, JE POUVAIS JOUER AVEC ÇA PENDANT DES HEURES !

Luc Provost, alias Mado Lamotte

Au primaire,
j'avais beaucoup
d'amis de gars.
J'aimais jouer au ballon
prisonnier et aux billes
mais aussi à l'élastique
et aux Barbie.

Gabrielle Picard

Les monstres
et les dinosaures,
c'était pas mal
winner avec moi.

Alice Dorval

MON JOUET FAVORI :

un micro sur pied. J'aimais me
déguiser, faire des spectacles,
des chorégraphies dans le salon
le samedi matin…

Jean-Philippe Dion

LE JEU *CLUE*,

pour moi, c'était *hot*. Ça me
faisait peur, c'était stressant.
J'aimerais ça l'adapter au cinéma.

Xavier Dolan

MA MÈRE
S'ACHARNAIT :
À CHAQUE NOËL,

UNE BARBIE !

ELLE RESTAIT
TOUJOURS
DANS LE COIN.

Marlyne Michel

Mariannick et Carole

CAROLE

Ça a toujours été clair que je voulais des enfants. Je me disais même que j'en aurais à 27 ans : c'était aussi précis que ça. Finalement, j'ai eu 27 ans quatre jours avant la naissance de Ludovic, notre premier enfant.

MARIANNICK

Moi aussi, j'en ai toujours voulu. Adolescente, mes amies m'appelaient « Maman Mariannick ». J'étais déjà très maternelle. J'avais toujours un lunch plus gros, au cas où quelqu'un aurait encore faim. Je couvais constamment mes amies. Alors quand Carole et moi avons commencé à sortir ensemble, c'est venu vite sur le sujet.

CAROLE

En fait, on avait parlé de notre désir d'avoir des enfants avant ça. Avant de savoir qu'on allait être en couple un jour.

MARIANNICK

C'est vrai. Moi, j'étais encore en questionnement sur ma sexualité et je venais de quitter mon chum. On était des amies très, très proches, avant de se rendre compte qu'il y avait plus…

À l'époque, Carole disait qu'elle pourrait adopter. Moi, je pensais : « Même si je suis avec une fille plus tard, j'ai un utérus et je veux porter. »

Après que j'ai fait mon coming-out et qu'on est devenues un couple, on parlait encore d'avoir des enfants, mais le temps passait…

CAROLE

«Dans deux ans, on va avoir des enfants.» On s'est répété ça pendant trois ou quatre ans : on était aux études et on trouvait que ce n'était pas encore le bon moment. Et un jour, c'est sorti de même : «Mariannick, ce serait le bon moment, là. On en veut maintenant.»

Moi, j'étais prête à adopter. On voulait des enfants et plusieurs avaient besoin d'une famille. Mariannick voulait absolument enfanter et je comprenais. Ça ne me dérangeait pas que ce soit elle qui le porte, même si éventuellement, moi aussi, j'ai voulu en porter un.

MARIANNICK

On a donc enclenché les démarches. Après avoir évalué les différentes possibilités, on a fini par décider que j'allais porter le premier enfant et qu'on allait passer par une banque de sperme.

C'était quand même drôle de se retrouver sur un site Internet pour passer une commande de sperme et la faire livrer à une clinique de fertilité. Ce n'est pas tout à fait comme ça que j'avais envisagé de faire des enfants quand j'étais adolescente.

Aussi, on savait déjà qu'on voulait quatre enfants et le même donneur pour les quatre. Et nous, dès les premiers essais, ça a fonctionné. Il nous reste donc un échantillon.

Effectivement, j'ai «brûlé» ma deuxième grossesse puisque j'en ai fait deux d'un coup. On se demande d'ailleurs s'il y en aura un quatrième ou pas. Déjà, trois enfants, c'est intense, même si financièrement, ce n'est pas si mal. C'est juste la gestion travail-famille qui est parfois compliquée. Surtout que les trois sont rapprochés. Les jumeaux sont nés le 7 octobre 2013 et Ludovic est né deux ans plus tôt, en octobre 2011.

On en a toujours voulu quatre, mais je ne nous vois pas en avoir un autre tout de suite. On n'est pas totalement contre, ça dépend des jours… Des fois, on se dit que ça serait bien, un quatrième, mais d'autres jours, c'est : « Oublie ça ! » Cela dit, on sait qu'il nous reste encore une possibilité.

DEUX JUMEAUX, DEUX MAMANS

Environ une semaine après mon accouchement, on est allés chez IKEA avec Jeanne et Hugo. Chacune de nous portait un bébé en écharpe de portage. On attendait en file pour aller manger. Une dame nous a abordées : « Ils sont mignons, ils ont quel âge ? » On a répondu en même temps : « Une semaine. C'est des jumeaux. » Et là, on a vu l'interrogation dans le visage de la dame… Elle essayait d'analyser la situation. Et la question est finalement tombée : « Qui est la maman ? » J'ai répondu : « Nous deux. C'est moi qui les ai portés. »

Plus tard, une petite grand-mère est venue nous poser des questions. Elle s'était rendu compte qu'il s'agissait de jumeaux. Au fil de la conversation, on lui a dit : « C'est pratique, on peut allaiter toutes les deux ! » Là, on l'a perdue.

La brigadière, elle, elle a compris. L'été, quand on part le matin toute la famille ensemble, on prend la poussette double avec plate-forme. Carole pousse les enfants, moi je suis à vélo, à côté d'eux. On va jusqu'à la garderie déposer les enfants et après, je continue à vélo jusqu'au travail. On croise donc la brigadière tous les matins. Un jour, elle nous a lancé : « Hé, toute la famille est là ! » Elle avait allumé qu'on était deux mamans en couple. Mais c'est rare que les gens comprennent ça naturellement.

Par contre, il y a la maman d'une petite fille à la garderie qui elle, je pense, n'a pas encore saisi qu'on est les deux mères de Jeanne et Hugo. Elle doit penser que je viens aider Carole. Ou que je suis sa sœur. De toute façon, ce n'est pas si important que ça.

Non, surtout que c'est déjà assez gênant d'entendre Ludovic à la garderie se vanter à un autre enfant : « Toi, t'as juste une maman. Moi, j'en ai deux ! »

CAROLE SINOU, 30 ANS, LESBIENNE
MARIANNICK ARCHAMBAULT, 31 ANS, LESBIENNE

Au début des années 50, j'étais pensionnaire dans un collège de gars.

Dans ce temps-là, la télévision commençait et ceux qui étaient mordus de hockey avaient l'autorisation de regarder *La soirée du hockey* le samedi soir.

Je n'aimais pas toujours les meilleurs joueurs. Si je les trouvais *cutes*, je me faisais accroire qu'ils étaient bons. Quand Maurice Richard était sur la patinoire, je regardais pas mal plus Dollard St-Laurent qui jouait à côté. Il avait une gueule d'enfer ! J'ai eu plusieurs *kicks* pour des joueurs de hockey, mais aussi pour des gars de l'école.

J'aimais beaucoup un gars un peu plus vieux que moi. C'était plus qu'une simple attirance sexuelle. Il était beau, il était fin, il jouait au tennis, il pratiquait les mêmes sports que moi.

Tous les pensionnaires couchaient dans de grands dortoirs. Moi je dormais avec les plus jeunes, lui avec les plus vieux. Une nuit, ça cogne sur le bord de mon lit, c'était lui à genoux à côté de moi. Dans ma tête, c'était le bonheur total ! Il ne venait pas me demander de jouer au ping-pong... Sauf que j'ai eu la chienne de ma vie parce que la porte du dortoir s'est ouverte. Sa réaction a été instantanée : il a levé la couverte et s'est glissé dans mon lit.

On avait des lits tout petits et il s'est mis la couverte par-dessus la tête. Le moine s'en venait dans le passage et mon lit était le premier sur le bord. J'avais envie de mourir là ! Sa soutane faisait du bruit à chacun de ses pas. «Frouch! Frouch! Frouch!» Il va-tu finir par passer?! Une fois que le moine est retourné dans sa chambre, j'ai dit à Jean-Marie: «Tu vas sacrer ton camp au plus vite!»

Le lendemain, je l'ai revu après le déjeuner: «Toi, t'as passé proche de me faire mourir hier soir.» Il m'a répondu: «Il ne faut pas mourir pour ça. On remettra ça.» Dans les mois qui ont suivi, on a «remis ça» je ne sais pas combien de fois, mais on s'arrangeait pour que personne ne nous surprenne. La première fois que j'ai embrassé un gars, c'est lui qui me l'a proposé:

«As-tu déjà embrassé un gars?
— Non.
— Veux-tu essayer ça?
— Ben oui!»

Je le trouvais beau et fin. Je l'aimais. C'était toujours doux, toujours le fun. Je n'ai jamais osé lui dire «Je t'aime». Comme c'était lui qui m'avait tout montré, je me disais que s'il m'aimait, il me le dirait. J'ai longtemps gardé précieusement son bâton de hockey. Il était un peu trop long pour moi, mais il me l'avait donné. Je n'osais pas le couper.

Comme il était plus vieux que moi, il a quitté le pensionnat avant moi. J'ai vécu une sorte de peine d'amour. Au pensionnat, je n'ai plus jamais été aussi proche de quelqu'un. On a correspondu pendant un certain temps, mais je ne l'ai jamais revu.

À ma grande surprise, 55 ans plus tard, j'ai eu des palpitations pour lui... au GRIS! Un nouveau bénévole lui ressemblait comme deux gouttes d'eau. Un vrai sosie! Quand je l'ai vu, j'en ai eu le souffle coupé. J'ai beau être en amour et en couple avec mon Jacques depuis bientôt 37 ans, l'émotion de mon premier amour est remontée comme au premier jour.

RÉAL BOUCHER, 75 ANS, HOMOSEXUEL

MODÈLES
RECHERCHÉS

MARIANNICK ARCHAMBAULT

31 ans. Enseignante en biologie au cégep. Originaire de la Rive-Sud de Montréal. Coming-out en tant que lesbienne à 23 ans. En couple depuis 2006 et mariée depuis 2009 avec Carole Sinou. Ensemble, elles sont mères de trois enfants : un fils de trois ans et des jumeaux, garçon et fille, d'un an. Bénévole intervenante au GRIS-Montréal depuis 2008.

Page 200

FRANCINE BEAULIEU

65 ans. Professeure de taï-chi. Originaire de Montréal. Coming-out en tant que lesbienne à 27 ans. Célibataire. Mère d'une femme de 40 ans et grand-mère de 3 petits-enfants. Bénévole intervenante au GRIS-Montréal depuis 2010.

Page 162

ÉRIC BERNIER

Comédien. **Télévision :** *Virginie, L'auberge du chien noir, Les hauts et les bas de Sophie Paquin* (prix Gémeaux 2008), *Il était une fois dans le trouble, Tout sur moi* (prix Gémeaux 2010 et 2011), *Au secours de Béatrice.* **Cinéma :** *Les sept branches de la rivière Ota, Nô.* **Théâtre :** *Les bonnes, Le mystère d'Irma Vep, La Charge de l'orignal épormyable, Incendies, Vigile (ou Le veilleur), Le balcon.*

Page 108

ANNE B-GODBOUT

25 ans. Chargée des communications au GRIS-Montréal et rédactrice à la pige. Originaire de Cap-Rouge, dans la région de Québec. Coming-out en tant que lesbienne à 15 ans, puis en tant que bisexuelle à 17 ans. En couple depuis 2012 avec Hugo Bergeron. Mère d'une fille de quatre ans et d'un fils de sept ans. Intervenante au GRIS-Montréal depuis 2014.

Page 144

VINCENT BOLDUC

Comédien et auteur.
Télévision : *Les filles de Caleb, Les débrouillards* (prix Gémeaux 1993), *Ent'Cadieux, Cover Girl, Tactik, Entrée principale.* **Cinéma :** *Ma vie en cinémascope, Les pieds dans le vide.* **Théâtre :** *Les exilés de la lumière, Motel des brumes, Les Zapartistes.* **Écriture :** *Kif-kif, Les pieds dans le vide, Tactik* (prix Gémeaux 2012 et 2013). Porte-parole du GRIS-Montréal depuis 2008.

Page 6

RÉAL BOUCHER

75 ans. Retraité du domaine de l'éducation. Originaire de L'Isle-Verte, dans le Bas-Saint-Laurent. En couple depuis 1978 avec Jacques Bélanger. Directeur du GRIS-Montréal de 2001 à 2005, trésorier depuis 2005. Le prix du bénévole par excellence du GRIS-Montréal, décerné chaque année, porte son nom depuis 2013.

Page 204

SIMON BOULERICE

Auteur, comédien et metteur en scène. **Romans :** *Les Jérémiades, Javotte.* **Littérature jeunesse :** *Plus léger que l'air, Jeanne Moreau a le sourire à l'envers, Edgar Paillettes* (Prix jeunesse des libraires du Québec 2014). **Poésie :** *Saigner des dents, La sueur des airs climatisés.* **Théâtre :** *Simon a toujours aimé danser, Les mains dans la gravelle, Tout ce que vous n'avez pas vu à la télé, PIG.*

Page 196

LUC BRISSETTE

25 ans. Directeur artistique (arts graphiques, design graphique et photographie). Originaire de la Rive-Sud de Montréal. Coming-out en tant qu'homosexuel vers l'âge de 17 ans. En couple avec Antoine Dupéré Larivière depuis 2012. Bénévole intervenant au GRIS-Montréal depuis 2013.

Page 132

MICHÈLE BROUSSEAU

49 ans. Agente de formation et de développement au GRIS-Montréal. Originaire de Montréal. Coming-out en tant que lesbienne à 36 ans. En couple depuis 2001 et mariée depuis 2014 avec Kathleen Martin. Mère de deux filles âgées de 23 et 25 ans. Intervenante au GRIS-Montréal depuis 2002.

Page 26

LUDWIG CIUPKA

Vice-président de la création et cofondateur de l'agence Tuxedo. **Prix :** pour la campagne *Go Beyond the Cover 2012*, il a remporté des prix aux Lions de Cannes, aux Bees Awards, aux iab mixx awards, de même qu'un prix Créa, au Québec. En 2013, il a reçu le Grand prix Grafika pour le livre *30 passions en 30 minutes*.

Page 30

RENÉ RICHARD CYR

Metteur en scène, comédien et animateur. **Mise en scène :** *Zumanity* (Cirque du Soleil), *Don Giovanni* de Mozart (Opéra de Montréal), *Macbeth* de Verdi (Opéra de Montréal et Opera Australia), *Belles-Sœurs*, version théâtre musical (Félix de la meilleure mise en scène 2010), *Le chant de Sainte-Carmen de la Main*, *Les innocentes*, *Intouchables*. **Télévision :** *Diva*, *Le plaisir croît avec l'usage* (prix Gémeaux 1999, 2000), *Cover Girl*, *Yamaska*. **Cinéma :** *Babine*, *Ésimésac*.

Page 186

JEAN-PHILIPPE DION

Animateur, chroniqueur et producteur au contenu. **Télévision :** *Star Académie 2012*, DVD *Céline Dion – A New Day* et *Céline autour du monde*, *Salut, Bonjour !*, *Les coulisses* et *Le tapis rouge du Gala Artis*, *Accès illimité*. **Radio :** *Rouge café*.

Page 14

XAVIER DOLAN

Réalisateur, scénariste et comédien. **Réalisateur :** *J'ai tué ma mère* (meilleur scénario et meilleur film, Jutra 2010), *Les amours imaginaires, Laurence Anyways*, vidéoclip *College Boy* du groupe Indochine, *Mommy* (Prix du jury, Festival de Cannes 2014 ; meilleur film étranger, César 2014 ; meilleure réalisation, meilleur scénario et meilleur film, Jutra 2015). **Comédien :** *J'ai tué ma mère, Les amours imaginaires, Tom à la ferme, The Elephant Song.*

Page 90

ALICE DORVAL

20 ans. Étudiante en histoire de l'art. Originaire de Montréal. Coming-out en tant que lesbienne à 15 ans. Célibataire. Bénévole intervenante au GRIS-Montréal depuis 2014.

Pages 11 et 168

ANNE DORVAL

Comédienne. **Télévision :** *Chambres en ville, Grande Ourse, Le cœur a ses raisons* (prix Gémeaux 2005 et 2006), *Les bobos* (prix Artis 2013 et 2014), *Les Parent* (prix Gémeaux 2010 et 2012). **Cinéma :** *J'ai tué ma mère* (prix Jutra 2010), *Le sens de l'humour, Laurence Anyways, Mommy* (Bayard d'or 2014, prix Écrans canadiens et Jutra 2015). **Théâtre :** *Oreste – The Reality Show, Variations sur un temps, Projet Andromaque.*

Page 168

CATHERINE DUCLOS

27 ans. Étudiante au doctorat en sciences biomédicales (recherche en neurotraumatologie, chrono-biologie et médecine du sommeil). Originaire de la Rive-Sud de Montréal. Coming-out en tant que lesbienne à 20 ans. En couple depuis 2011 et mariée depuis 2014 avec Marie-Christine Baril. Bénévole intervenante au GRIS-Montréal depuis 2012, administratrice au conseil d'administration depuis 2013.

Page 20

GENEVIÈVE DUMAS

33 ans. Éducatrice spécialisée. Originaire de Montréal. Coming-out en tant que lesbienne à 20 ans. En couple avec Julie Robillard depuis 2013. Bénévole intervenante au GRIS-Montréal depuis 2013.

Page 48 et 127

CHANTAL FONTAINE

Comédienne, animatrice et restauratrice. **Télévision :** *Virginie, Yamaska, Par-dessus le marché, Livraison d'artistes, Oser une autre vie, Les chefs – La brigade 2015.* Une vingtaine de nominations aux galas MetroStar, des prix Gémeaux et Artis. **Restauration :** copropriétaire des restaurants Accords bar à vin et Accords le bistro, à Montréal.

Page 30

STEVE FRANÇOIS

30 ans. Agent de programme pour le gouvernement fédéral. Originaire de Montréal, issu de la communauté haïtienne. Célibataire. Coming-out en tant qu'homosexuel à 19 ans. Bénévole intervenant au GRIS-Montréal depuis 2009. Membre du groupe LGBT afro-caribéen Arc-en-ciel d'Afrique.

Page 140

DANIEL DUROCHER

52 ans. Chef propriétaire du service de traiteur Grand-papa Gâteau. Originaire de Laval. Coming-out en tant que gai à 22 ans. En couple depuis 1993 et marié depuis 2011 avec Ghislain Berleur. Bénévole intervenant au GRIS-Montréal depuis 2008 et fournisseur de buffets pour le GRIS depuis 2004 !

Page 78

ÉMILE GAUDREAULT

Réalisateur et scénariste. **Cinéma :** *Louis 19, le roi des ondes* (prix du meilleur scénario au Festival international du film de Vancouver 1994), *Nuit de noces, Mambo italiano, Idole instantanée, De père en flic* (prix Jutra-Billet d'or et Bobine d'or), *Le sens de l'humour, Le vrai du faux.* Membre du défunt Groupe sanguin.

Page 64

SYLVAIN GAUDREAULT

Homme politique, enseignant et avocat. **Politique :** député de Jonquière depuis 2007 à l'Assemblée nationale, ministre des Transports, des Affaires municipales, des Régions et de l'Occupation du territoire (2012 à 2014). **Enseignement :** enseignant en histoire et en arts et technologies des médias au Cégep de Jonquière (2001 à 2007). **Droit :** avocat depuis 1996, membre du Barreau du Québec (1996 à 2010).

Page 194

MARTIN GIRARD

44 ans. Vice-président à l'ingénierie chez Mirametrix, en charge du développement logiciel. Originaire de Saguenay. Coming-out en tant que gai à 21 ans. En couple depuis 2005 avec Yan Beaumont. Bénévole intervenant au GRIS-Montréal depuis 1995. Membre de la ligue de natation LGBT À Contre-Courant.

Page 16

MONIQUE GIROUX

Animatrice et conceptrice de spectacles. **Animation radio :** *Les refrains d'abord, Le Cabaret des refrains, Fréquence libre, Chants libres à Monique.* **Conception :** une vingtaine de spectacles à Montréal et en France, dont plusieurs pour les Francofolies de Montréal. **Distinctions :** Officier des Arts et des Lettres de la République française (2014), décorée de l'Ordre national du Québec (2014), membre de l'Ordre du Canada (2010).

Page 68

HAKIM

50 ans. Il travaille dans le domaine des services financiers et bancaires. Originaire d'Algérie. Coming-out en tant que gai à 31 ans. En couple depuis 2006. Bénévole intervenant au GRIS-Montréal depuis 2002.

Page 184

RÉJEAN HÉBERT

Médecin et homme politique. **Médecine :** médecin omnipraticien à l'Hôtel-Dieu de Lévis et au CHUS, gériatre à l'hôpital d'Youville de Sherbrooke, professeur titulaire en médecine familiale à l'Université de Sherbrooke, chercheur au Centre de recherche sur le vieillissement de Sherbrooke, centre qu'il a d'ailleurs fondé. **Politique :** député de Saint-François à l'Assemblée nationale et ministre de la Santé et des Services sociaux du Québec (2012 à 2014).

Page 66

JOCELYNE HÉTU

55 ans. Gestionnaire à la retraite, elle a travaillé pendant 33 ans chez Hydro-Québec. Originaire de Laval. Coming-out en tant que lesbienne à 43 ans. En couple depuis 2003 et mariée depuis 2005 avec Marie-Andrée Pichette. Mère de deux garçons de 20 et 29 ans. Grand-mère d'une petite-fille depuis avril 2014. Bénévole intervenante au GRIS-Montréal depuis 2006.

Page 84

MARIE HOUZEAU

44 ans. Directrice générale du GRIS-Montréal. Originaire de Mons, en Belgique. Coming-out en tant que lesbienne à 19 ans. Depuis 2010, elle partage sa vie avec France Lord et son fils de 21 ans. Intervenante au GRIS-Montréal depuis 2003. Membre de la ligue de tennis gaie et lesbienne Tennis Lambda.

Pages 4, 63 et 177

ZVEZDAN KUHAR

41 ans. Conseiller principal en affectations internationales. Originaire de Mannheim, en Allemagne. Coming-out en tant que gai à 15 ans. Célibataire, il a été en couple pendant 13 ans. Avec son ex-conjoint, il a adopté une fille, aujourd'hui âgée de cinq ans. Bénévole intervenant au GRIS-Montréal depuis 2014. Membre de la ligue de natation LGBT À Contre-Courant.

Page 192

CHARLINE LABONTÉ

Gardienne de but en hockey sur glace. Médaillée d'or olympique à Salt Lake City (2002), Turin (2006), Vancouver (2010) et Sotchi (2014). Médaillée d'or (2007 et 2012) et d'argent (2005, 2008, 2009 et 2011) aux Championnats du monde de hockey sur glace féminin. Étudiante à la maîtrise en psychologie du sport. Gardienne de but des Stars de Montréal. Nommée joueuse la plus utile et meilleure gardienne de la Coupe Clarkson 2015.

Page 73

CHLOÉ ROBICHAUD

Réalisatrice et scénariste. **Cinéma :** *Moi non plus* (coup de cœur du *Short Film Corner* du Festival de Cannes 2010), *Nature morte* (sélection *Les courts du Québec* au Festival de Cannes 2011), *Chef de meute* (sélection officielle, Festival de Cannes 2012), *Sarah préfère la course* (sélection officielle *Un certain regard*, Festival de Cannes 2013, et prix Gilles-Carle 2014). **Web :** *Féminin/Féminin*. Prix Iris-Média du Conseil québécois LGBT.

Page 107

JULIE ROBILLARD

32 ans. Intervenante en prévention de l'hypersexualisation. Originaire de Sainte-Marthe-sur-le-Lac. Coming-out en tant que lesbienne à 19 ans, puis en tant que bisexuelle à 23 ans. En couple avec Geneviève Dumas depuis 2013. Bénévole intervenante au GRIS-Montréal depuis 2012.

Page 164

PHILIPPE SCHNOBB

Président de la STM, journaliste et animateur. **STM :** président du conseil d'administration de la Société de transport de Montréal depuis 2013 et de celui de l'Association des transporteurs urbains du Québec depuis 2014. **Télévision et web :** journaliste, reporter, lecteur de nouvelles et chroniqueur web pour le service de l'information de Radio-Canada et RDI à partir de 1987, animateur du magazine socioculturel *C'est ça la vie* (2008 à 2010).

Pages 89 et 178

ERIC SHANNON

47 ans. Enseignant. Originaire de Montréal. En couple avec un homme depuis 2006. Père d'un jeune homme de 24 ans. Bénévole intervenant au GRIS-Montréal depuis 2013.

Page 110

CAROLE SINOU

30 ans. Étudiante au doctorat en biologie végétale. Originaire de la Bretagne, en France. Coming-out en tant que lesbienne à 18 ans. En couple depuis 2006 et mariée depuis 2009 avec Mariannick Archambault. Ensemble, elles sont mères de trois enfants : un fils de trois ans et des jumeaux, garçon et fille, d'un an. Bénévole intervenante au GRIS-Montréal depuis 2010.

Page 200

ANIK ST-PIERRE

47 ans. Enseignante en sécurité incendie au collège Montmorency. Originaire de Québec. Coming-out en tant que gaie à 16 ans. En couple depuis 2004. Bénévole intervenante au GRIS-Montréal depuis 2006.

Page 36

LAURENCE TANGUAY BEAUDOIN

27 ans. Bachelière en psychologie et étudiante en médecine. Originaire de l'Estrie. Coming-out en tant que bisexuelle à 19 ans, puis en tant que lesbienne à 24 ans. Célibataire. Bénévole intervenante au GRIS-Montréal depuis 2012.

Page 98

DAVID TESTO

Joueur de soccer professionnel et professeur de yoga. **Soccer:** milieu de terrain pour les Kickers de Richmond (2003), le Colombus Crew (2004 et 2005), les Whitecaps de Vancouver (2006 et 2007) et l'Impact de Montréal (2007 à 2011). Gagnant du trophée Giuseppe-Saputo 2009, remis au joueur le plus utile à son équipe.

Page 92

MARIE-PHILIPPE THIBAULT-DESBIENS

25 ans. Auteure-compositrice-interprète dont le nom d'artiste est **Mademoizelle Philippe**. Née au Saguenay–Lac-Saint-Jean, elle a grandi à Montréal. Coming-out en tant que lesbienne à 15 ans. En couple depuis 2010, mariée depuis 2012. Bénévole intervenante au GRIS-Montréal depuis 2011.

Page 100

KIM THUY

Écrivaine. **Publications:** *Ru* en 2009 (Grand Prix RTL-Lire 2010, Prix du Gouverneur général 2010, Grand Prix littéraire Archambault 2011), *À toi* (recueil de correspondances avec Pascal Janovjak) en 2011, *Mãn* en 2013. Lauréate du prix Charles-Biddle 2014. Avant de devenir écrivaine, elle a été traductrice, interprète, avocate, restauratrice et chroniqueuse.

Page 122

SONIA TREMBLAY

46 ans. Maman à la maison, toiletteuse pour animaux domestiques et employée saisonnière dans une pépinière. Originaire de la Montérégie. Coming-out en tant que lesbienne à 34 ans. En couple avec Franca Noto depuis 2004 et mariée depuis 2006. Mère de trois enfants de 15, 17 et 19 ans d'une union précédente, et d'une fille de sept ans avec Franca. Bénévole intervenante au GRIS-Montréal depuis 2006.

Page 180

DANY TURCOTTE

Humoriste et animateur.
Humour : membre du Groupe sanguin (nominations catégorie Spectacle humour aux galas de l'ADISQ 1987 à 1989), membre de Lévesque et Turcotte.
Télévision : *Tout le monde en parle, La petite séduction.*

Page 130

OLIVIER VALLERAND

33 ans. Architecte et professeur d'architecture. Originaire de Québec. Coming-out en tant que gai à 16 ans. En couple depuis janvier 2014. Bénévole intervenant au GRIS-Québec de 2001 à 2009, puis au GRIS-Montréal depuis 2009. Coordonnateur à la recherche du GRIS-Montréal depuis 2009.

Page 83

MASSIMILIANO ZANOLETTI

38 ans. Enseignant d'italien et d'ingénierie. Originaire de Brescia, dans la région de la Lombardie, en Italie. Coming-out en tant qu'homosexuel à 18 ans. Célibataire, à la recherche de l'homme de sa vie… Bénévole intervenant au GRIS-Montréal depuis 2012.

Page 70

Remerciements

Ce livre est le fruit du travail de dizaines de personnes. Quand j'ai parlé de mon idée pour la première fois en 2013, j'ignorais à quel point j'aurais besoin d'autant de bras, de têtes et de cœurs pour réaliser *Modèles recherchés*. Je tiens donc à prendre le temps de leur témoigner toute ma gratitude.

D'abord, merci à Jean Paré d'avoir cru en mon projet dès le départ. Ton enthousiasme et tes encouragements répétés pendant plus d'un an m'ont été précieux. Ta capacité à susciter l'intérêt d'autant de gens pour mon livre lui donnera un rayonnement essentiel.

Merci à Étienne Dicaire, l'inestimable artiste qui a mis son immense talent au service de chacune des histoires de cet ouvrage. En plus d'avoir une imagination fertile quand il crée un design et une main soignée quand il dessine, il a un don pour faire ressortir les mots qui touchent et les émotions qui vibrent. Quelle rare combinaison de talents ! Étienne, je te l'ai dit plusieurs fois, mais je veux que ça soit écrit noir sur blanc pour toujours : sans toi, ce livre magnifique n'aurait jamais pu exister. Je t'en remercie du fond du cœur en mon nom et au nom de toute la communauté LGBT, pour laquelle tu œuvres dans l'ombre depuis longtemps déjà.

Merci à toute l'équipe de Guy Saint-Jean Éditeur, en particulier à Élise Bergeron, mon étonnante et patiente éditrice. Ta passion pour la langue, ton souci du détail et ton indéfectible enthousiasme m'ont charmé. Tu m'as appris plein de nouveaux mots, rappelé des règles oubliées. Ça m'a fait du bien. Cela dit, c'est ta grande ouverture et ta délicate tendresse pour le sujet de mon livre qui m'ont touché le plus. Je vais m'ennuyer de travailler avec toi. J'en profite pour saluer ton Marc-André et le remercier, lui aussi. Une chance qu'on l'a eu.

Merci encore à toutes les personnalités et à tous les bénévoles du GRIS-Montréal qui ont accepté de faire partie de ce livre. Je n'énumère pas vos noms, puisqu'ils sont partout dans ce livre. Tous ensemble, nous avons réussi à peindre un nouveau tableau des réalités gaies, lesbiennes et bisexuelles. La communauté LGBT de même que le grand public vous en seront reconnaissants pendant longtemps.

Un merci particulier à France Lord pour ses conseils des premières heures. Merci aussi aux filles de la permanence du GRIS-Montréal, Anne, Michèle, Colette, Raphaëlle et Amélie, avec une pensée spéciale pour mon amie Marie Houzeau, femme sage et fidèle conseillère. Vous avez été là pour moi durant toutes les étapes de ce projet de fou, et je l'apprécie énormément.

Je remercie aussi mon ami David Platts, président du GRIS, et tous les membres du conseil d'administration pour votre soutien indéfectible. J'ai écrit ce livre en pensant beaucoup à vous. Le travail que vous faites pour que vive notre organisme est aussi sinon plus important que ce livre. Sans vous, pas de GRIS. Sans le GRIS, pas de livre. Merci également à Macha Limonchik et Vincent Bolduc, nos porte-parole de rêve, qui prêtent leur voix et leur image à notre message avec conviction depuis de nombreuses années.

Merci à Carmen Desmeules, Cory Pagett et ma fidèle amie Caroline Trudel. Votre écoute attentive et vos 10 doigts bien agiles ont fait apparaître des dizaines d'histoires devant mes yeux. Votre aide a été providentielle! Sans vous, j'y serais encore.

Merci à Sylvie Hamel et à tous les illustrateurs de l'agence Anna Goodson qui ont généreusement accepté de participer à *Modèles recherchés*. Votre talent et votre véritable désir de contribuer à l'émotion des histoires que vous avez illustrées ont donné à mon livre une richesse inestimable.

Merci à mes amis pour leurs encouragements, de même qu'à mes collègues chez ARTV et Explora. Votre complicité et votre intérêt pour mon projet n'ont fait qu'augmenter mon désir d'écrire un livre dont vous allez être fiers.

Merci à tous ceux que nous avons appelés à la rescousse pour écrire des mots, trouver ou prendre des photos, joindre des personnalités difficiles d'accès. Un merci particulier au photographe Charles Bélisle, à Luc Boulanger, Patrick Brunette, Sébastien Corbeil, Dominique Éthier, Félix Faucher, Francis Guilbault, Francis Legault, Patrick Lowe, Tin Ly et Martin Watier, ainsi qu'à la SDC du Village.

Merci à mes parents, Lise Rodrigue et Robert Pilon, ma sœur Marie-Claude, ma sœur Dominique et son conjoint Éric, mes neveu et nièce, Olivier et Laurie-Anne, et son conjoint Kevin. Dans le cheminement que j'ai eu comme gai, je ne pouvais rêver d'une meilleure famille.

Finalement, merci à mon chum, mon mari, Serge Danis. Ton écoute, tes commentaires, ta patience durant mes absences, qu'aurais-je fait sans eux? Sans toi? Ton amour pour moi est imprimé dans chaque recoin de ce livre. Mon superhéros, c'est toi.

Robert Pilon